"Mães não precisam de mais um livro lhes dizendo como elas falharam ou o que elas podem fazer para 'serem mães melhores'. Mães precisam de um livro que afaste os seus olhos de si mesmas e direcione-os para Cristo. Gloria Furman publicou exatamente esse livro. Sua honestidade quanto às suas lutas diárias e à sua esperança em seu forte Salvador são um encorajamento maravilhoso. A grande imagem de Deus e de seu amor redentor que Gloria apresenta nos dá coragem para enfrentarmos cada dia. Recomendamos este livro para futuras mamães, novas mamães e mães que têm estado no ramo há anos."

Elyse Fitzpatrick, coautora, *Pais Fracos, Deus Forte*

"Como mães, a nossa lista de coisas para fazer é interminável, e muitas pessoas bem-intencionadas fazem uma pilha de listas com instruções para tentar nos ajudar a gerenciar tudo isso. Aqui está uma boa notícia: *Sem Tempo Para Deus: Intimidade Com Cristo Para Mães Atarefadas* refresca a alma com as verdades do evangelho e não é um livro de instruções. Gloria Furman compartilha o evangelho libertador em cada página, ajudando-nos a fixar os olhos na eternidade e não em nossas circunstâncias. Você não sairá com mais uma instrução para seguir; em vez disso, você conhecerá aquele que deu tudo a você e tem muito a dizer em sua Palavra para sustentá-la."

Trillia Newbell, autora, *United: Captured by God's Vision for Diversity*

"Podemos encontrar nestas páginas abundante honestidade útil e centralidade do evangelho à medida que somos convidadas a olhar para o mundo maravilhoso e confuso da maternidade! A leitura foi como abrir uma janela no abafado quarto da pretensão, culpa e autofoco que, muitas vezes, se colocam sobre nós, mães. Deixe as janelas se abrirem e venha respirar o ar fresco da graça!"

Kristyn Getty, hinóloga e artista musical

"Eu fui maravilhosamente abençoada por este livro. Por meio de exemplos pessoais e ensinos imersos na Escritura, Gloria nos convida a saborear Cristo, a necessidade mais profunda e a alegria de toda mãe. Certamente o lerei novamente e aguardarei ansiosamente para recomendá-lo a outras."

Trisha DeYoung, dona de casa, mãe e feliz esposa de Kevin DeYoung, autor de *Super Ocupado, Brecha em Nossa Santidade, Levando Deus a Sério e Qual a Missão da Igreja?*

"Precisamos deste livro. Na frenética e, por vezes, árdua tarefa de criar filhos, é difícil se lembrar do evangelho. Graças a Deus por Gloria Furman! Ela nos ajuda a adorarmos Jesus em meio ao tumulto caótico e a vermos 'interrupções' como convites para confiarmos nele alegremente. Tanto mães quanto pais encontrarão profundo encorajamento aqui."

Jon e Pam Bloom, Presidente do ministério *Desiring God* e sua esposa

"Ah, como eu gostaria de ter tido uma voz como a de Gloria Furman sussurrando essas doces verdades do evangelho nas frustrações e descontentamentos dos meus dias maternais mais jovens! Não há nada simplista ou meloso aqui. Este livro apresenta a rica e profunda sabedoria que certamente gerará alegria e paz nos lares e nos corações de muitas mães."

Nancy Guthrie, professora da Bíblia; autora, *Ainda Melhor que o Éden*

"Um convite impressionante para ver Cristo no cotidiano e através dele. Toda mãe precisa ler este livro para banhar a alma na verdade do evangelho, para 'estampar a eternidade em seus olhos' e, então, voltar no dia seguinte e fazer tudo de novo. Este livro deve estar na cabeceira de cada mãe exausta que se pergunta se há algo mais para esperar do que outra pia cheia de louça suja, outro dia só arrumando e limpando, cozinhando e esfregando. A resposta para a qual Gloria nos aponta é Jesus. E ele é mais do que suficiente. Eu vou comprar uma caixa desse livro e dar a todas as mães que eu encontrar!"

Joy Forney, mãe, missionária; esposa orgulhosa; blogueira em GraceFullMama.com

Gloria Furman

Sem Tempo para Deus

Intimidade com Cristo para mães atarefadas

F986s Furman, Gloria, 1980-
　　　　Sem tempo para Deus : intimidade com Cristo para mães atarefadas / Gloria Furman ; [traduzido por Ingrid Rosane de Andrade]. – São José dos Campos, SP : Fiel, 2015.
　　　　168 p. ; 21cm.
　　　　Tradução de: Treasuring Christ when your hands are full.
　　　　Inclui referências bibliográficas e índice.
　　　　ISBN 9788581322759

　　　　1. Mães – Vida religiosa. 2. Espiritualidade – Cristianismo. I. Título.
　　　　　　　　　　　　　　　　　　　　　　　CDD: 248.8/431

Catalogação na publicação: Mariana C. de Melo – CRB07/6477

Sem Tempo para Deus
Intimidade com Cristo para Mães Atarefadas
Traduzido do original em inglês
Treasuring Christ When your Hands are Full:
Gospel Meditations for Busy Moms
Copyright ©2014 por Gloria C. Furman

∎

Publicado por Crossway Books, Um ministério de publicações de Good News Publishers
1300 Crescent Street
Wheaton, Illinois 60187, USA.

∎

Copyright © 2014 Editora Fiel
Primeira Edição em Português: 2015
Todos os direitos em língua portuguesa reservados por Editora Fiel da Missão Evangélica Literária

Todas as citações bíblicas são da Almeida Revista e Atualizada (ARA), a menos que estejam identificadas em outra versão no próprio texto

Proibida a reprodução deste livro por quaisquer meios, sem a permissão escrita dos editores, salvo em breves citações, com indicação da fonte.

∎

Diretor: Tiago J. Santos Filho
Editor-chefe: Vinicius Musselman Pimentel
Editora: Renata do Espírito Santo
Coordenação Editorial: Gisele Lemes
Tradução: Ingrid Rosane de Andrade
Revisão: Renata do Espírito Santo
Diagramação: Wirley Corrêa
Capa: Rubner Durais
ISBN impresso: 978-85-8132-275-9
ISBN e-book: 978-85-8132-281-0

Caixa Postal 1601
CEP: 12230-971
São José dos Campos, SP
PABX: (12) 3919-9999
www.editorafiel.com.br

Para minha mãe, Catherine

Sumário

Agradecimentos...11
Introdução:
Estampe a Eternidade em Meus Olhos.................................13

Parte 1
DEUS FEZ A MATERNIDADE PARA SI MESMO 25

1. Mãos Cheias de Bênçãos..27
2. Deus Exibe sua Obra no Instinto Maternal.......................37
3. Cérebro de Mãe 51
4. Regra Número 1:
   Sempre Precisamos da Graça de Deus 63

Parte 3
A MATERNIDADE COMO ADORAÇÃO 71

5. O "Chamado à Adoração" de uma Mãe.................................73

6. O Amor de uma Mãe 85

7. Mamãe nem Sempre Sabe o que é Melhor 97

8. As Boas-Novas nos Dias Maus...107

9. A "Mãe do Ano" 117

10. Mães são Fracas, mas Ele é Forte 131

11. A Metanarrativa da Maternidade......................................141

Conclusão: O Testemunho de Paz de uma Mãe 153

Notas...161

Agradecimentos

Obrigada, *Jesus*, por colocar a sua Igreja aqui no Oriente Médio. Obrigada às *mulheres mais velhas da Redeemer Church de Dubai*, que levam as instruções em Tito 2 a sério. Vocês amam entusiasticamente os inexperientes em Cristo, instruem as mulheres mais jovens e ensinam o que é bom. Obrigada pela "maternidade" fiel de vocês ao exortarem e encorajarem mulheres a amarem suas famílias e a adornarem o evangelho. Vocês são uma bênção para mim e para tantos outros!

Obrigada, *Cheryl Madewell*, pelas inúmeras horas que você passou comigo quando eu estava no segundo ano da faculdade, ensinando-me a me esforçar em estudar e amar a Palavra de Deus. Obrigada, *Ngoc Brown* e *Carolyn Wellons*, por me ensinarem que eu preciso valorizar Cristo para amar meu marido-pastor. Obrigada, *Mary Waters*, por me mostrar como a alegria do Senhor é a nossa força para cuidar de pessoas em momentos de sofrimento. Obrigada, *Kim Blough*, por sentar-se comigo naquele período sombrio no deserto quando eu achava que as minhas mãos se ocupariam apenas de dor e desesperança. Você estendeu a esperança do evangelho a mim vez após vez, obrigada.

Sou grata por essas blogueiras que escrevem especificamente para levarem as mães a valorizarem Cristo. Obrigada pela amizade e forte influência, *Lindsey Carlson*, *Kimm Crandall*, *Christina Fox*, *Trillia Newbell*, *Luma Simms* e *Jessica Thompson*.

É preciso ter amigas que buscam Cristo em meio a todos os prazeres e tristezas da maternidade. Obrigada, *Monica deGarmeaux* e *Laurie Cuchens*, por serem modelos para mim, tanto em meio a profunda tristeza quanto na alegria. Pela graça de Deus, as suas vidas testemunham que o Deus a quem vocês adoram é digno de todo louvor.

Obrigada à equipe da *Crossway* (especialmente *Justin Taylor*, *Lydia Brownback*, *Josh Dennis*, *Amy Kruis*, *Angie Cheatham* e *Janni Firestone*) por toda a energia e árduo trabalho que dispensaram a este livro.

Um enorme obrigada à minha mãe, *Catherine*, e minha sogra, *Basia*, que, mesmo a mais de 12.000 km de distância, encontram maneiras criativas de amar e encorajar a nossa família.

Introdução

Estampe a Eternidade em Meus Olhos

Minhas mãos já estavam ocupadas quando eu estava grávida do nosso primeiro filho.

Elas estavam ocupadas com livros, potes, maçanetas, torneiras, cadeiras, volantes, botões, garfos e teclados.

Foi quando eu estava grávida do nosso primeiro filho que meu marido começou a sofrer de dor crônica devido a uma doença nervosa em ambos os braços. Em um período bastante curto de tempo, a dor aguda e penetrante restringiu grandemente o que Dave era capaz de fazer com seus braços. "É incrível o quanto você precisa de seus braços", Dave comentou uma noite enquanto eu me curvava sobre a minha barriga de nove meses para ajudá-lo com muito esforço a colocar suas meias e amarrar seus sapatos. Naquela época, tínhamos uma ideia muito pequena do que a sua doença nervosa significaria para nossas vidas diárias como pais. Quase oito anos se passaram desde que suas dores semelhantes a choques iniciaram. Ao longo dos anos, ele passou por vários procedimentos cirúrgicos e ainda sente dor. Dave a descreve como uma espécie de "ruído branco".

Há dois anos, Dave teve uma infecção que se desenvolveu para um grande furúnculo em cima dos nervos de sua mão. Furúnculo é uma enfermidade comum onde vivemos no Oriente Médio, de acordo com os médicos do hospital onde Dave foi tratado. Ele foi hospitalizado por três dias, quando tiveram um cuidado especial para recuperarem sua mão. "Como é ser casada com Jó?", Dave brincou quando teve alta do hospital. Foi bom vê-lo sorrir, apesar dessa provação. Lembrei-me da declaração de fé de Jó: "Embora ele me mate, ainda assim esperarei nele" (Jó 13.15, NVI). E fui despertada pela demonstração de falta de fé da esposa de Jó, que disse: "Ainda conservas a tua integridade? Amaldiçoa a Deus e morre" (Jó 2.9). O impacto de meu piedoso marido sofredor tem sido uma influência fundamental na minha maternidade.

Mesmo com o cenário de dor, vejo evidências abundantes da graça de Deus agindo em nossas vidas. Através de problemas diários, temos a oportunidade de testemunhar que "a benignidade do Senhor jamais acaba, as suas misericórdias não têm fim" (Lm 3.22, ARIB).

Quis compartilhar essa parte da minha vida com você porque ela moldou a minha perspectiva sobre o que significa física e emocionalmente ter muitas tarefas. Ter mais trabalho físico na maternidade do que eu previa me obriga a esperar no Senhor por força e provisão. Estou aprendendo em primeira mão que voltar-me para o mundo em busca de conforto e força apenas me deixa insatisfeita e fraca. Deus tem usado as circunstâncias físicas da nossa família para me apontar para a única grande circunstância permanente em minha vida, o evangelho de Jesus Cristo. Estou ansiosa para compartilhar mais sobre isso com você, e como isso se relaciona com a maternidade.

Minhas mãos estão ocupadas com trabalho árduo, ajudando meu marido e criando nossos quatro filhos. Suas mãos também estão ocupadas, ainda que as suas circunstâncias como mãe sejam diferentes da minha. Em nosso trabalho transcultural, temos o privilégio de viajar o mundo. Atualmente vivemos em uma cidade global onde pessoas de centenas de nacionalidades vivem juntas. As mães são muito diversificadas, mas acho que a afirmação é universalmente verdadeira – as mãos de uma mãe estão sempre ocupadas.

Mas com o que elas estão ocupadas?

Às vezes meu filho brincalhão me dá de presente melecas e pedaços indiscerníveis de alimentos de debaixo de sua cadeirinha de alimentação. Minhas meninas me dão bilhetinhos enigmáticos completamente saturados com canetas de purpurina. É parte do meu trabalho como mãe aceitar essas ofertas de amor com animação (e, algumas vezes, com desinfetante para as mãos). É verdade que o trabalho de uma mãe nunca acaba. À medida que as mães passam o dia cuidando de seus filhos, elas talvez os carreguem no colo, recolham louça espalhada pela casa, trabalhem para ajudar a prover para seus filhos, separem brigas de irmãos, virem páginas de livros de histórias e passem o aspirador de pó sobre pipocas pisoteadas.

Mães também estão com as mãos ocupadas com abraços e gestos divertidos. Não é nem necessário dizer que muitas vezes por dia (ou por hora!), uma mãe também pode apertar as mãos em frustração e levantá-las em oração enquanto clama a Deus por ajuda.

Com o que quer que seja que suas mãos estejam cheias – bênçãos, ou dificuldades, ou uma mistura dos dois – a Palavra de Deus contém um encorajamento específico para você.

Há mais a ser dito sobre o trabalho de uma mãe do que o fato de que é difícil e de que nunca acaba. Há beleza, brilho e dignidade dada por Deus para o trabalho de uma mãe. Falarei sobre algumas dessas coisas neste livro.

Mas o que estou mais preocupada em comunicar nestas páginas limitadas é que mães podem apreciar uma realidade ainda maior do que a de seu papel como mãe. Não importa de onde você seja ou quais sejam as suas circunstâncias; a maior realidade que uma mãe pode apreciar e na qual pode descansar é a obra que Jesus fez na cruz em nosso lugar.

- A obra purificadora de Jesus por meio do sacrifício de sangue do seu próprio corpo na cruz é mais importante que a pilha de roupa suja que ameaça desabar em breve.
- A ressurreição vitoriosa de Jesus dos mortos e o triunfo

sobre a morte são mais importantes que o caos da sua casa movimentada quando todo mundo têm que sair depressa para os seus compromissos.
- O reinado soberano de Jesus sobre o cosmos e o controle escatológico de tudo sob seus pés são mais importantes que os planos que você fez para a noite, sua agenda lotada para esse fim de semana e as ideias que você tem sobre o futuro do seu filho.

As mãos da mãe cristã estão cheias com cada bênção espiritual em Cristo (Ef 1.3), e o trabalho de nutrir filhos no temor do Senhor é a sua participação privilegiada na obra de Deus em unir todas as coisas em Jesus (Ef 1.10). Esse Jesus, a quem temos o prazer de servir, oferece descanso para as mães e enche nossas mãos com suas bênçãos. Dia e noite, vez após vez, devemos escolher descansar em Jesus. Isso é o que significa valorizar Cristo mesmo quando estamos atarefadas, quer você tenha um único filho ou uma dúzia.

Uma mãe que tenha nascido de novo para uma viva esperança por meio da ressurreição de Cristo tem uma herança que é incorruptível, sem mácula e imarcescível, reservada nos céus para ela (1Pe 1.3-4). Mesmo quando as mãos de uma mãe estão ocupadas com problemas, trabalhos que deixam as costas doloridas e com as incertezas da vida, ela está sendo guardada pelo poder de Deus mediante a fé, para a salvação que há de ser revelada no futuro (1Pe 1.5). Por causa do evangelho, nós, mães, podemos nos alegrar quando nos encontramos com nossas mãos cheias de bênçãos em Jesus, porque tudo o que conhecemos é graça. O teólogo Herman Bavinck disse que, com base no sacrifício de Jesus por nossos pecados na cruz, "Deus pode arrancar o mundo e a humanidade das garras do pecado e expandir o seu reino".[1] Essa é uma notícia muito, *muito* boa.

Preciso ser lembrada dessa notícia o tempo todo, dezenas de vezes por dia. Preciso de lembretes, porque posso defender e anunciar uma teologia bíblica da graça de Deus para mães e, ainda assim, não viver na identidade e esperança que Deus me dá.

A BOA NOTÍCIA PARA TODOS OS DIAS

Jonathan Edwards costumava orar e pedir a Deus que "estampasse a eternidade em seus olhos". Essa oração tornou-se também o pedido do meu próprio coração.

Quando seus olhos estão fixos no horizonte da eternidade, isso afeta a sua visão da maternidade. Precisamos ter olhos para ter uma visão de Deus que é tão grande e tão gloriosa que transforme a nossa perspectiva da maternidade. No contexto da eternidade, onde Cristo está fazendo o seu trabalho de reinar sobre o cosmos, precisamos enxergar os nossos momentos mundanos pelo que eles realmente são – adoração. No trabalho diário (e noturno) da maternidade, temos dezenas de convites para adorar a Deus, à medida que ele nos lembra da esperança que temos por causa do seu evangelho. Minha oração é que você veja que o evangelho é uma boa notícia para as mães, não apenas no nosso "aniversário de novo nascimento", mas todo dia.

Introdução

O ministério do Espírito Santo inclui alinhar nossas inseguranças subjetivas como mães com a realidade objetiva da nossa segurança eterna em Cristo. Como mães, temos que treinar a nós mesmas a focar nas coisas que são invisíveis e eternas (2Co 4.18). À medida que lutamos para manter essa perspectiva, *e* até mesmo quando deixamos de lutar, cedendo à tentação em direção à apatia, devemos olhar para a Palavra de Deus e crer nela mesmo quando não conseguimos senti-la. Precisamos ser mulheres da Palavra de Deus, cuja petição diária seja: "Ensina-me, SENHOR, o teu caminho, e andarei na tua verdade; dispõe-me o coração para só temer o teu nome" (Sl 86.11). À medida que caminhamos na verdade de Deus, também sentimos convites do Espírito para orar. Embora tenham sido escritas para pastores, as palavras de Martyn Lloyd-Jones sobre a oração são relevantes para nós:

> Sempre reaja favoravelmente a todo impulso para orar. [...] De onde ele vem? É obra do Espírito Santo (Fp 2.12-13) [...] Por conseguinte, jamais resista, jamais adie esse impulso e nunca o coloque de lado, por estar demais ocupado. [...] Essa chamada à oração jamais deve ser considerada uma distração; sempre lhe responda imediatamente e dê graças a Deus se esse impulso lhe ocorre com frequência.[2]

O trabalho de uma mãe é sagrado para o Senhor.
Como mães, olhamos para Jesus não apenas como nosso

exemplo; também vemos que ele é o nosso poder para amar a Deus e nossos filhos. Porque Cristo fez por nós o que nunca poderíamos fazer por nós mesmas, pelo *seu* poder podemos pedir perdão aos nossos filhos quando pecamos contra eles, porque Deus nos perdoou em Cristo (Mt 6.12-15; Mc 11.25; Cl 3.13). Pelo *seu* poder, podemos nos humilhar em nosso trabalho como mães, porque ninguém jamais mostrou mais humildade do que o nosso Redentor ao abandonar o seu direito de permanecer no céu e morrer a morte que nós merecíamos (Fp 2.3-8). Pelo *seu* poder, podemos amar nossa família com amor sacrificial, porque o Filho de bom grado se submeteu à vontade do Pai (Jo 5.20,23; 14.30-31). E, mesmo quando deixamos de amar como ele ama, ele é a nossa justiça. Jesus fez por nós o que jamais poderíamos fazer por nós mesmas. Jesus é a nossa âncora, e ele nos ancorou em seu amor; nada, nada, *nada* nos separará do amor de Deus em Cristo Jesus, nosso Senhor (Rm 8.39).

O evangelho está acima e além de todas as filosofias de maternidade mais práticas, voltadas para a família ou com melhor custo-benefício existentes. A boa-nova de Jesus Cristo é superior às nossas listas de afazeres e troféus metafóricos de mãe-do-ano. Isso porque o maior problema que uma mãe tem não é a falta de criatividade, realização ou habilidade, mas sua incapacidade de amar a Deus e os outros como Jesus a ama (Jo 13.34). Sem um mediador para falar por nós, nosso pecado certamente nos separará do nosso santo Deus, agora e para sempre (Rm 3.23). Se você nunca ficou alarmada com essa ideia e, posteriormente, foi confortada pela cruz de Jesus Cristo, então eu a encorajo – por favor, continue lendo. *Sem Tempo para Deus: Intimidade com Cristo para Mães Atarefadas* não é uma lista de instruções sobre como ser uma boa mãe. É sobre o nosso bom Deus e o que ele fez. A graça irresistível de Deus une o nosso coração errante ao próprio Deus e nos liberta para amá-lo e transbordar em amor pelo próximo. Fomos resgatados do pecado e da morte, e presenteados com a vida eterna pelo precioso sangue de Cristo (1 Pe 1.18-19). E, por causa da obra de Cristo na cruz, podemos viver a forma de amor de Deus em nossas casas e no mundo, mesmo quando nossas mãos estão cheias (Gl 5.16-26; Ef 4.17–6.18.).

Embora eu não me arrisque a dar sábios conselhos sobre o "como fazer isso" da maternidade (minha filha mais velha ainda está no ensino fundamental), a aplicação do evangelho para a maternidade é muito prática. Eu mantive um lembrete na minha escrivaninha ao escrever estas páginas. O lembrete dizia: "Resista à tentação de reduzir a Palavra de Deus a boas dicas para uma vida agradável: dê-lhes o evangelho".[3] Dicas baseadas na Bíblia nunca resgataram a alma de ninguém da destruição ou transmitiram os sussurros de vida eterna às suas vidas terrenas. Jesus salva, e o fruto do Espírito é muito mais doce do que as flores infrutíferas do mero viver moral. Deus nos transforma de dentro para fora. Como o puritano Jeremiah Burroughs acertadamente afirmou: "O contentamento é uma coisa doce e interna do coração. É uma obra do Espírito no interior".[4]

As circunstâncias da sua maternidade podem ser difíceis, problemáticas e confusas. Ainda assim, há uma circunstância que suplanta todas as complexidades da sua vida. É a simples verdade de que a única grande e permanente circunstância em que você vive é que você tem permissão para andar em novidade de vida à medida que é unida a Cristo pela fé, por meio da graça. Nossa alegria não pode estar na maternidade, mas somente em Deus. Todas nós precisamos permitir que o Espírito faça sua "obra interna", além de nos maravilhar enquanto o Senhor cultiva o doce contentamento interior em nosso coração à medida que aprendemos a confiar nele.

Talvez você tenha acordado hoje antes do sol para que pudesse desfrutar de comunhão com o Senhor e fazer algum trabalho, e agora parece que o dia está se arrastando. Eu entendo você. Não sei quantas vezes me perguntei: "Será que ainda é hora de dormir?". Em dias como esse, precisamos nos lembrar de que cada dia é como um suspiro que é muito breve para medir, mas é repleto de significado eterno. E nesse breve suspiro de um dia comum, o Espírito Santo irrompe e transborda com o amor de Deus em Cristo em nosso coração. Isso é surpreendente. Jesus nos convida para algo muito mais firme e indestrutível do que o marcador roxo permanente que o seu filho usou para decorar seus armários de cores claras da cozinha. Por causa do seu amor, Jesus nos convida para si. Ele diz em João 15.9: "Como o Pai me amou, também eu vos amei; permanecei no meu amor".

Introdução

Minha oração é que o que você encontrar neste livro a leve a valorizar Cristo à medida que ele mantém suas mãos cheias com o bom trabalho da maternidade. Preciso me lembrar dessas coisas também, a fim de que essas meditações no evangelho possam igualmente ser um lembrete para mim mesma. Que, pela graça de Deus, ele refresque o nosso coração e renove a nossa mente por meio da sua Palavra e do seu Espírito, para que nos maravilhemos com "as virtudes daquele que vos chamou das trevas para a sua maravilhosa luz" (1Pe 2.9.).

Parte 1

Deus Fez a Maternidade para Si Mesmo

1

Mãos Cheias de Bênçãos

Alguns anos atrás nossa família foi abençoada por podermos viver em quartos no andar superior de uma casa que abrigava os escritórios e o espaço comunitário da igreja. Havia sempre algo emocionante acontecendo lá embaixo, quer fosse o grupo de jovens, de estudo da Bíblia ou um recheado almoço compartilhado entre os membros da igreja.

Mesmo que as pessoas estivessem entrando e saindo de nossa casa dia e noite, algumas vezes eu não aguentava mais ficar dentro de casa. Eu tinha uma comichão para sair.

Felizmente, morávamos na mesma rua de um grande centro comercial, então eu podia sair de casa (e evitar o calor sufocante do deserto). Às vezes eu arrumava as crianças e as levava para ver vitrines, e eu fazia disso uma experiência educacional. "Quantos pratos você vê empilhados sobre essa mesa?" "Vamos inventar uma história sobre os modelos vestindo casacos de inverno." "Quem consegue adivinhar o vestido mais barato desta loja?"

Quando levo meus filhos para um lugar público, como o shopping, eu me torno uma espécie de pastor de gatos. (Será que gatos podem ser pastoreados?) "Fique aqui com a mamãe." "Não toque nisso!" "Onde você pegou isso?" "Não coloque isso na boca." "Não arranhem uns aos outros; apenas deem as mãos de forma gentil." "Vamos, continuem andando, pessoal."

Uma vez eu estava "cercando meus gatinhos" em seus assentos em uma mesa na praça de alimentação quando uma adorável mulher sentou-se ao nosso lado.

Praticamente não existem "estranhos" onde vivemos, e a hospitalidade é impecável. A hospitalidade se estende para além da sala de estar, visto que as pessoas alegremente se envolvem na vida uns dos outros durante o dia. O senso de comunidade se estende para muito além de seus amigos pessoais. O ditado africano "É preciso uma aldeia para educar uma criança" não é apenas um ditado onde eu moro, mas uma realidade honrada e normativa. Às vezes parece que a camaradagem de simplesmente dividir o espaço em uma fila no caixa eletrônico é suficiente para facilitar a comunhão entre as pessoas.

"Você tem muito a fazer!", nossa companheira de almoço sorriu enquanto colocou as mãos nos cachos loiros da minha filha mais nova. "Tão linda! Mashallah" (que significa "Deus a abençoe" em árabe).

Costumava me incomodar quando as pessoas diziam que eu tinha muito a fazer.

Porque sou envergonhada e insegura, eu tomava esses comentários como uma afronta à minha capacidade de criar bem meus filhos. Eu assumia que as pessoas que diziam isso estavam insinuando que meus filhos eram mal-educados e selvagens, e que eu não tinha ideia de como criá-los, que eu tinha muito a fazer porque não entendia nada da minha maternidade estabanada e fora de controle. Quando ouvia esse comentário, eu me tornava defensiva e arrogante (e, por vezes, isso ainda é uma tentação).

Agora, sempre que alguém me diz que tenho muito a fazer, concordo com eles por duas razões. A primeira razão pela qual concordo com as pessoas que dizem que tenho muito a fazer é que, em noventa e nove por cento das vezes, as pessoas querem dizer que eu *literalmente* tenho muito a fazer.

"Deixe-me ajudá-la com isso". A mulher amigável levantou-se para tomar a bandeja que eu estava segurando enquanto eu tentava puxar o carrinho de bebê para mais perto da mesa com o meu tornozelo.

Em segundo lugar, concordo com as pessoas que dizem que minhas mãos estão cheias de coisas para fazer porque minhas mãos não estão apenas cheias. Elas estão *transbordando* – de bênçãos.

Quando as pessoas me dizem que as minhas mãos estão cheias, é um bom momento para lembrar que isso é verdade. "Sim! Minhas mãos estão transbordando com dons de Deus!"

A abundância dos dons que Deus me deu por meio da maternidade não é quantificável pelo número de filhos que eu tenho ou por quão agradáveis eles são para mim. Os dons que Deus deu às mães não podem ser limitados ou quantificados por seus filhos.

TODA MÃE TEM SUAS MÃOS OCUPADAS

Há um problema real, desânimo real e trabalho árduo real que vêm com a maternidade. Dizer "ser mãe não é fácil" é como dizer "chocolate é gostoso". Isso é óbvio. Basta assistir a uma mãe grávida de nove meses tentando sair do carro sem distender nenhum músculo. Basta ouvir uma mãe compartilhar as dores em seu coração pelo filho que ela está esperando para adotar. Ou peça a uma mãe para lhe dizer seus pedidos de oração. Ser mãe não é fácil.

Mas, algumas vezes, as mães pensam que suas mãos estão ocupadas com inconveniência, trabalho ingrato e futilidade. Manter a perspectiva de que Deus abençoou você abundantemente é uma luta muito real. A luta pela fé não pode ser travada com a ideia caprichosa de que você só precisa ver que "o copo está meio cheio". A luta por fé deve ser tratada com sensibilidade e graça, e sempre sujeita à inerrante Palavra de Deus e à sua autoridade.

Sei que as lutas, decepções e dores são questões significativas na maternidade, por isso é com toda a seriedade e sinceridade que eu me lembro do que o apóstolo Pedro diz em 1 Pedro 1.3-5: Nasci de novo para uma viva esperança por meio da ressurreição de Cristo, e tenho uma herança incorruptível, imaculada e imarcescível, reservada nos céus para mim. Mesmo que a minha vida seja cheia de angústias e vitórias triunfantes, incógnitas e esperanças, estou sendo guardada pelo poder de Deus mediante a fé, para a salvação a ser revelada no futuro. Pregar o evangelho para mim mesma todos os dias é a melhor maneira de lembrar que a minha vida em Cristo é *a* realidade principal e permanente em minha vida. A habitação do Espírito Santo conforta minha alma com as verdades da Palavra de Deus.

Quando Jesus me resgatou do inferno, ele também me resgatou para si. Fui poupada de uma eternidade de justo castigo que mereço e foi-me entregue vida para sempre com o meu Salvador. Ele pegou aquele cálice – cheio até a borda com a ira de Deus contra o pecado – e bebeu até a última gota. Então, ele não me entregou de volta um cálice vazio (que por si só já teria sido uma misericórdia indizível).[5] A Bíblia diz que o meu copo não está apenas meio cheio. Por causa de Jesus, o nosso copo está transbordando com as bênçãos de Deus (Sl 23.5).

Sei que posso não estar livre da próxima fralda cheia que vazar até o chão do meu carro enquanto estou presa no trânsito com crianças chorosas que só querem sair e brincar. Mas, por causa do evangelho, estou livre de ter que responder a esses problemas na forma como a minha carne pecaminosa desejaria – estou fortalecida pela graça porque me foi dada a justiça de Jesus Cristo quando eu, *de fato*, reajo de forma pecaminosa. Por causa do evangelho, também posso ver as boas intenções de Deus para cumprir suas promessas em mim ao me tornar semelhante a Cristo e me aproximar mais de si mesmo. Essas são apenas algumas maneiras de como é possível considerar o evangelho na vida diária de uma mãe.

Como o evangelho de Jesus Cristo impacta a sua vida de uma forma significativa quando a sua realidade no momento parece ser absorvida pelas coisas corriqueiras, como acidentes com xixi ou vômito e birras no supermercado?

Qualquer um pode aconselhar você sobre a forma de lidar com essas coisas práticas, tangíveis. Por exemplo, alguém pode sugerir que você compre uma capa de chuva e use-a até que seus filhos estejam no sexto ano escolar. Para abafar suas birras em público, talvez você possa entrar em algum provador de roupas ou banheiro e ter um ataque de raiva em particular. Hein? Você pensou que eu estivesse falando sobre a birra do *seu filho* no supermercado? Bem, isso é uma coisa completamente diferente!

Mesmo que o seu primeiro filho tenha acabado de ser concebido em seu ventre ou você tenha sido recentemente aprovada para uma adoção, você já pode saborear a bondade de Deus para com você na maternidade.

Quando vejo a maternidade *não* como um dom de Deus para me fazer santa, mas sim como uma função com tarefas que ficam no meu caminho, estou deixando de ver um dos meios ordenados por Deus de crescimento espiritual em minha vida. Não apenas isso, mas estou deixando de *desfrutar Deus*. Nenhuma angústia de mãe pode se comparar com a miséria que vem de uma vida desprovida da presença consoladora, encorajadora, protetora, provedora e gratificante de nosso Deus santo.

Quero para mim o que Paulo queria para os seus amados filipenses: "O que também aprendestes, e recebestes, e ouvistes, e vistes em mim, isso praticai; e o Deus da paz será convosco" (Fp 4.9). Quero que a paz de Deus governe a minha maternidade.

Quero para mim o que o autor de Hebreus queria para os seus leitores: "Segui a paz com todos e a santificação, sem a qual ninguém verá o Senhor" (Hb 12.14). Quero viver cada dia da maneira pela qual fui salva por Cristo – isto é, pela graça mediante a fé. Preciso me despojar do velho homem, sendo renovada no espírito do meu entendimento, e me revestir do novo homem criado à semelhança de Deus, em verdadeira justiça e santidade (Ef 4.20-24). John Owen comentou sobre o papel do evangelho nessa busca: "O que então é a santidade? Santidade não é senão a implantação, escrita e vivência do evangelho em nossas almas (Ef 4.24)".[6]

Essa vida de fé infundida pela graça faria maravilhas na forma como crio os meus filhos, é claro, mas, além disso, ela mantém o meu olhar fixo em Deus. Pode-se dizer que o mandamento mais amoroso na Bíblia é este:

> Tu, ó Sião, que anuncias boas-novas,
> sobe a um monte alto!
> Tu, que anuncias boas-novas a Jerusalém,
> ergue a tua voz fortemente;
> levanta-a, não temas
> e dize às cidades de Judá:
> *Eis aí está o vosso Deus!* (Is 40.9)

Quero ser contada entre aqueles que "verão o Senhor". Quero contemplar o meu Deus!

DONS COM UM PROPÓSITO SANTO

Os dons que Deus nos dá servem a este santo propósito – direcionar o nosso louvor ao doador desses dons. Se você gosta do dom de seus filhos e do dom da sua maternidade, mas a sua alegria se restringe a eles, então você não entendeu o objetivo dos dons.

O dom da maternidade leva mães a valorizar Jesus Cristo à medida que ele transforma o nosso coração de dentro para fora.

Esse é o assunto que tratarei neste livro. No caso de você estar ocupada demais para ler o restante dele (eu sei como é isso!), a essência da minha tese é a seguinte:

> Por causa do evangelho – a notícia sobre o que Jesus fez na cruz para salvar os pecadores – mães que fazem de Cristo o seu tesouro podem se alegrar em seu trabalho à medida que Deus trabalha nelas.

Por causa de Jesus, tudo que um cristão conhece é graça sobre graça sobre graça. Pela graça de Deus, nossas mãos estão transbordando segundo as suas riquezas em Cristo Jesus. Essas riquezas incluem o fruto do Espírito Santo – amor, alegria, paz, longanimidade, benignidade, bondade, fidelidade, mansidão e domínio próprio (Gl 5.22-23). Mães "que são de Cristo Jesus crucificaram a carne, com as suas paixões e concupiscências" (Gl 5.24). Mães que vivem pelo Espírito Santo devem também andar nele (Gl 5.25). Então, como Paulo nos exorta: "Não nos deixemos possuir de vanglória, provocando uns aos outros, tendo inveja uns dos outros" (Gl 5.26). Devemos buscar a paz uns com os outros e nos fortalecer em nossa santíssima fé. Mesmo essas manifestações do fruto do Espírito não são um fim em si mesmas. Quando Deus trabalha para nos tornar santos, ele tem um fim em mente – nossa glorificação juntamente com Cristo Jesus.

Leia Romanos 8.12-17 aplicando os versículos a você mesma. "Assim, pois, _____ ...".

Assim, pois, irmãos, somos devedores, não à carne como se constrangidos a viver segundo a carne.

Porque, se viverdes segundo a carne, caminhais para a morte; mas, se, pelo Espírito, mortificardes os feitos do corpo, certamente, vivereis.

Pois todos os que são guiados pelo Espírito de Deus são filhos de Deus.

Porque não recebestes o espírito de escravidão, para viverdes, outra vez, atemorizados, mas recebestes o espírito de adoção, baseados no qual clamamos: Aba, Pai.

O próprio Espírito testifica com o nosso espírito que somos filhos de Deus. Ora, se somos filhos, somos também herdeiros, herdeiros de Deus e co-herdeiros com Cristo; se com ele sofremos, também com ele seremos glorificados.

Sim, mães, suas mãos estão cheias de coisas para fazer, literalmente. E suas mãos estão transbordando de graça que foi dada por aquele que estendeu as mãos por você na cruz

3

Deus Exibe sua Obra no Instinto Maternal

"Ela está comendo o próprio bebê!"

Minha filha gritou enquanto assistíamos a um programa de televisão sobre animais. O narrador explicou friamente que, quando se sentem ameaçadas, as mães dessa espécie do reino animal comem seus filhotes.

Consolei minha filha. "Não se preocupe, meu docinho. Eu nunca comeria você. Mesmo que seus dedinhos pareçam ser *tão saborosos*". Mais gritos se seguiram enquanto eu fingia comer os seus dedos dos pés.

A MÃE URSO

Eu acho que poderia levantar um ônibus para proteger a minha descendência, mas se você me pedir para dar o meu *smoothie* de banana com manteiga de amendoim para algum deles, então eu tenho que realmente pensar sobre isso. O instinto de mãe para nutrir seu filho é uma coisa engraçada. Não acho que algum dia eu esqueça um incidente em particular quando a minha segunda filha era bem pequena, e ela se perdeu na multidão tumultuada por 30 segundos.

Estávamos em meio a uma multidão de alguns milhares de pessoas que foram impedidas de entrar em uma estação de metrô após um show de fogos de artifício na inauguração do Burj Khalifa, o edifício mais alto do mundo. Milhares de espectadores haviam chegado de metrô para assistir aos fogos de artifício na base do edifício, então milhares de nós precisávamos usar os trens para voltar para casa. Mas logo após os fogos acabarem, os trens ainda não estavam prontos para serem embarcados porque as equipes estavam trabalhando duro nos bastidores para levarem esse enorme número de passageiros.

Era muito tarde. Estávamos exaustos e com fome, e todos queríamos ir para casa. Ficamos ali amontoados em uma multidão que ficava mais inquieta a cada minuto. Não havia espaço para se mover, e as pessoas estavam tão próximas que eu tive que levantar a nossa filha de dois anos do chão para que ela não fosse esmagada. O bebê estava seguro no carrinho. Então, finalmente, os guardas armados abriram as portas da estação de trem e gritaram acima do barulho da multidão para que as famílias com bebês entrassem.

Que alívio! Finalmente! Poderíamos começar a viagem de volta para casa.

Os guardas abriram caminho seguro para as jovens famílias entrarem na estação, mas nós estávamos longe da porta. As pessoas estavam tão densamente agrupadas que não conseguíamos nos mover um centímetro para frente. Um homem que estava por ali notou a nossa família e sugeriu que eu dobrasse o carrinho para que ele e seu amigo pudessem levantá-lo acima da multidão em direção às portas abertas. Pensamos que essa era uma ótima ideia. Já que meu marido não podia carregar o bebê nem nossa filha de dois anos ou levantar o carrinho por causa da doença de nervos em seus braços, eu disse: "Obrigada!" Tirei a bebê Norah de seu carrinho e a entreguei à mulher ao meu lado para que eu pudesse dobrar o carrinho. Eu precisava de apenas dois segundos para tirar o carrinho do caminho para que pudéssemos tentar passar no meio da multidão. Mas, no exato segundo que levei para dobrar o carrinho, meu bebê desapareceu da minha vista. O carrinho foi sendo levado pela multidão e, aparentemente, Norah também, e eu senti um surto de ira quase primitivo que fez com que todo o meu corpo começasse a tremer. Minhas cordas vocais atingiram uma magnitude nunca antes alcançada pela minha voz normalmente baixa quando soltei um grito de arrepiar:

"CADÊ. O MEU. BEBÊ?"

A multidão, que até esse ponto ora murmurava ora gritava, ficou em silêncio. Acho que até eu me assustei.

Centenas de olhos se voltaram na minha direção enquanto eu freneticamente examinava a multidão por minha filha.

Pessoas prenderam a respiração, e um sussurro preocupado começou a repercutir através da massa.

Mesmo enquanto escrevo sobre essa história, já começo a sentir um frio na barriga. Então, rapidamente, nós nos encontramos ao sermos empurrados através da multidão em direção às portas abertas da estação de trem quase como por osmose.

E, graças a Deus, lá estava a bebê Norah, sã e salva, chorando nos braços de um companheiro de viagem bem-intencionado. De alguma forma, meu bebê havia sido entregue da primeira pessoa para outra e para outra, e o último homem que a segurou havia entrado na estação de trem.

Aliviada e enfurecida ao mesmo tempo, eu a agarrei e rosnei: "Me dá o *meu bebê*". A "mãe urso" ainda estava furiosa por todo o drama. Pesquei o nosso carrinho de uma pilha de outros carrinhos que haviam sido levados pela multidão, prendi o bebê de volta em seu cinto de segurança, e caminhamos até o elevador para pegar o primeiro trem. Durante toda a viagem de 45 minutos até em casa, meu marido e eu choramos. À medida que a tensão dessa situação começou a crescer, todos os "e se" passaram por nossas mentes, e nós derramamos nossas ansiedades a Deus e louvamos a ele com gratidão por intervir em nosso favor.

MATERNIDADE QUE REFLETE CRISTO

Você pode ter se sentido como uma mãe urso algumas vezes ao proteger ou defender seus filhos, mas a sua maternidade instintiva é de fato diferente da de um animal. Em sua linguagem bastante puritana, Richard Baxter descreveu como Deus criou o instinto maternal para o louvor da sua glória:

> As mulheres, em especial, já devem esperar tanto sofrimento no casamento, que se Deus não tivesse posto nelas uma inclinação natural para isso, e um amor tão forte por seus filhos enquanto as torna pacientes sob os problemas mais irritantes, o mundo há muito teria chegado ao fim, por conta da recusa delas em viver uma vida tão calamitosa.
>
> Os enjoos na gravidez, as dores para dar à luz, colocando suas próprias vidas em risco, os problemas tediosos noite e dia - que têm com os seus filhos na amamentação e infância- além da sujeição a seus maridos, e o cuidado contínuo dos assuntos familiares, sendo forçadas a consumir suas vidas em uma infinidade de assuntos pequenos e problemáticos: tudo isso, e muito mais dissuadiria totalmente esse sexo do casamento, se a própria natureza não as tivesse inclinado para isso.[7]

Muito além do reino animal, em que há inúmeras manifestações de características da mãe urso, como seres humanos, temos um objetivo e propósito *redentivos* para o nosso instinto maternal. Quando criamos nossos filhos pela fé, não estamos apenas voltando ao Éden à semelhança de Eva, a mãe de todos os viventes, que se vestiu de folhas de figueira após ter pecado. Em vez de nos vestirmos com as folhas de figueira e os trapos imundos de nossas "boas obras" de autojustiça, vestimo-nos da justiça de Cristo, tomando parte no plano de Deus de redimir a criação por meio de Jesus. Tendo nascido de novo, caminhamos nesse mundo em novidade de vida eterna em Cristo, fazendo aquilo que ele tem para nós. Especificamente, fazendo discípulos de todas as nações (Mt 28.18-20). O resultado do nosso trabalho é que as pessoas louvarão nosso Pai quando virem nossas boas ações, e a glória de Deus encherá o mundo.

A imagem de Deus é mais gloriosamente mostrada em Cristo Jesus, que é a imagem perfeita do Deus invisível (Cl 1.15). Pela graça comum de Deus, o instinto de uma mãe para sofrer, amar, exercitar a paciência, suportar a dor e trabalhar para o bem de seus filhos é um reflexo da imagem de Deus. Por meio da graça que nos foi mostrada no evangelho, há algo distintamente de Cristo no amor de uma mãe por seu filho.

IRMÃS JUNTAS PARA SEMPRE

Além disso, por meio da graça que nos foi mostrada no evangelho, vemos como o amor de Cristo transforma o nosso amor por outras mães em Cristo também. Compartilhamos um só Senhor e uma só fé, e juntas estamos discipulando nossos filhos para amarem Jesus. Pela graça de Deus estamos nos despojando do velho homem, que instintivamente prefere se gabar para outras mães, e nos revestindo do novo, o qual ama a santidade (Ef 4.20-24). Colocamos de lado a falsidade e falamos a verdade para outras mães, pois somos membros umas das outras. Não pecamos com ira umas contra as outras e guardamos rancor para o diabo usar em seu perverso trabalho de causar divisão. Falamos umas às outras palavras que são boas para a edificação e que transmitem graça aos que nos ouvem. Lançamos fora toda a amargura, calúnia e malícia que sentimos em relação a outras mães. Em vez disso, somos gentis e ternas umas com as outras, perdoando-nos mutuamente, como Deus nos perdoou em Cristo (Ef 4.25-32).

Desde que nossos corações foram unidos em amor por meio de Cristo (Cl 2.2), compartilhamos um vínculo que é mais profundo do que qualquer lealdade à marca de um produto, denominação, interesse comum ou tribo (tanto étnico quanto ideológico). Irmãs em Cristo desfrutam de uma doce comunhão duradoura à medida que suas opiniões e formas como foram criadas parecem não importar quando comparadas à unidade de fé que têm em Cristo.

Faz sentido, então, que, por sermos unidas como santas e amadas escolhidas de Deus, devemos nos vestir de um coração compassivo, benignidade, humildade, mansidão e paciência para com as outras. Se descobrirmos que não temos nada de bom para dizer sobre a nossa irmã em Cristo, então devemos encher nosso coração com outra coisa (Sl 19.14; 71.8; Mt 15.18). Se descobrirmos que temos nos segregado em panelinhas, divididas por coisas insignificantes, como estilo da criação de filhos ou alimentos processados, então devemos nos lembrar de que todas somos parte de um só corpo. Sabemos que devemos tolerar umas às outras e perdoar as queixas que temos umas contra as outras, assim como Deus nos perdoou em Cristo (Cl 3.12-13). Isso tudo faz parte do significado de amar uns aos outros com o distinto amor que nos marca como seguidoras de Cristo (Jo 13.35). Valorizamos Cristo quando valorizamos nossas irmãs por quem Jesus morreu para salvar.

Essas virtudes e ideais cristãos são bastante agradáveis e encantadores para nós. Que mulher não quer ser mais compassiva? Que mulher não precisa ser mais paciente? No entanto, frequentemente percebemos que preferimos lançar um olhar torto através da sala do que percorrer uma multidão, a fim de admoestar humildemente nossa irmã com a sabedoria de Deus. Preferimos gostar das nossas divisões, da posição que temos em nossa panelinha e do nosso zelo para influenciar as escolhas pessoais de outras mulheres.

Sabemos que temos um problema de coração e que nossos afetos são desordenados. Cristo *é* amável para conosco, *somos* unidas a ele pela fé e, *de fato*, ansiamos por ver o seu reino estabelecido aqui na terra. Queremos possuir essas virtudes em medida crescente, de modo que sejamos eficazes e frutíferas em nosso conhecimento do Senhor Jesus. A ideia de constipação espiritual vem à mente, e esse cenário parece bastante desagradável e desconfortável. A fé e o arrependimento são necessários.

Pela fé, compreendemos o fato glorioso de que precisamos do amor de Cristo para nos controlar (2Co 5.14), nos dar o desejo de amar uns aos outros com amor fraternal e preferir honrar o outro ao invés de a nós mesmos (Rm 12.10). É de fundamental importância para o nosso crescimento na piedade que permaneçamos em Cristo, e ele em nós (Jo 15.1-11). Fora de Cristo nada podemos fazer. Mas, como estamos unidas a Cristo pela fé, o Espírito passa a residir em nossa alma e assegura o nosso coração de que somos filhas de Deus. Romanos 8.1-2 diz: "Agora, pois, já nenhuma condenação há para os que estão em Cristo Jesus. Porque a lei do Espírito da vida, em Cristo Jesus, te livrou da lei do pecado e da morte".

Por meio de Cristo somos livres do castigo do pecado e livres para amarmos os outros como ele nos amou. Esse amor dado e habilitado por Cristo tem um contexto – o jardim comunitário. Paulo ora em Efésios 3.17-19 para que "habite Cristo no vosso coração, pela fé, estando vós arraigados e alicerçados em amor, a fim de poderdes compreender, com todos os santos, qual é a largura, e o comprimento, e a altura, e a profundidade e conhecer o amor de Cristo, que excede todo entendimento, para que sejais tomados de toda a plenitude de Deus".

Ser "tomado de toda a plenitude de Deus" é uma frase que Paulo usou para descrever a maturidade espiritual. Essa maturidade, como ele descreve, é atingida à medida que exploramos as dimensões ilimitadas do amor de Jesus. Você vê como Paulo plantou o contexto de nossa maturidade espiritual no jardim comunitário? Ele ora para que tenhamos força junto "com todos os santos". Cristo habita em nossos corações individuais por meio da fé, e seu amor que ultrapassa o entendimento é vivido em comunidade.

Precisamos de outras mulheres cristãs em nossas vidas para nos ajudar a entender o quão grande, amplo, elevado e profundo é o amor de Jesus. Separar nossa vida espiritual de nossas interações com outras mulheres é inútil e espiritualmente prejudicial. Quando relegamos nossa comunhão com outras mulheres a discussões sobre coisas passageiras e evitamos falar sobre o anseio de nossos corações pela eternidade, não estamos ajudando a nós mesmas nem nossas amigas.

Mulheres cristãs são irmãs no nível mais profundo da comunidade, unidas a Cristo por toda a eternidade. Tomando emprestado o tema do tricô mais uma vez, Jesus não é apenas um mero "fio em comum" que partilhamos como irmãs em Cristo – ele é a tapeçaria. Jesus é a cabeça em quem estamos crescendo em todos os sentidos à medida que fortalecemos a nós mesmas em seu amor (Ef 4.15-16). É verdade que outras mães podem lhe dar grandes conselhos sobre cuidados infantis e apoiar suas decisões parentais, mas irmãs cristãs podem dar muito mais umas às outras. Jesus nos dá a si mesmo, e nos dá irmãs para nos fortalecermos à medida que aprendemos mais sobre o seu amor que ultrapassa o entendimento.

Deus nos projetou para precisarmos umas das outras.

AS PORTAS DO INFERNO NÃO PREVALECERÃO

Escolher nutrir e manter uma vida por meio da doação de seu corpo, de seu sustento e de seu futuro é um contrassenso em nossa sociedade mundana. Sempre que mães escolhem dar de si, é evidência da graça preservadora de Deus em nosso mundo caído.

Quando Adão e Eva desobedeceram a Deus no jardim do Éden, Deus respondeu com misericórdia. Ele os havia instruído a não comerem da Árvore do Conhecimento do Bem e do Mal, "porque, no dia em que dela comeres, certamente morrerás" (Gn 2.17). Mas Adão e Eva não caíram mortos no momento em que seus dentes perfuraram a deliciosa fruta.

Em vez disso, eles viveram para ouvir essas palavras de graça da boca de Deus. Deus amaldiçoou Satanás, que se aproximou de Adão e Eva no corpo da Serpente a fim de tentá-los. Deus disse à serpente: "Porei inimizade entre ti e a mulher, entre a tua descendência e o seu descendente. Este te ferirá a cabeça, e tu lhe ferirás o calcanhar" (Gn 3.15).

Vida! Se haverá um Salvador que esmagará a cabeça da serpente, então significa que o homem e a mulher terão descendentes. *Que misericórdia!*

Parte da maldição que Deus pronunciou naquele dia no jardim envolvia dor na gravidez para a mulher, e ela também seria afligida com um desejo pecaminoso de governar sobre o seu marido (Gn 3.16). O homem teria que lutar por alimento através do "suor do teu rosto" (Gn 3.17-19), em uma terra amaldiçoada. Adão e Eva mereciam morrer ali mesmo pelo seu pecado. Mas, em sua graça incomparável, Deus prometeu que haveria *vida*.

Olhando adiante para a graça futura de Deus ao enviar um salvador, pela fé "deu [Adão] o nome de Eva a sua mulher, por ser a mãe de todos os seres humanos" (Gn 3.20). Então Deus abateu um animal e com sua pele fez roupas para Adão e Eva

(Gn 3.21). E a raça humana foi preservada pela graça de Deus e passou a aguardar o Filho prometido que destruiria o inimigo de Deus de uma vez por todas.

Os poderes demoníacos acreditaram na promessa de Deus também. Eles entenderam que o descendente predito da mulher esmagaria a cabeça de Satanás. Satanás passaria a procurar o Prometido, a fim de destruí-lo. A Bíblia diz que "o menor desses" (Mt 25.40,45) é portador da imagem de Deus. Não me admira que Satanás os odeie e trabalhe para extingui--los da existência e para envenenar sua inocência.

O AUTOR DA VIDA SUSTENTA NOSSAS VIDAS

Todos nós, descendentes do primeiro homem e mulher, experimentamos a morte quando voltamos ao pó do qual fomos feitos. Falando em termos de estatísticas, dez entre dez pessoas morrem. A morte não é o nosso "amigo" ou um "doce alívio da vida"; a morte é "o último inimigo" que deve ser destruído (1Co 15.26). A morte é um terror, parte de uma maldição – a separação da alma de nosso corpo (Gn 2.17; 3.19,22; Rm 5.12; 8.10; Hb 2.15).

Mesmo Jesus, aquele que ressuscitaria dos mortos vitorioso sobre a morte, não tinha ideias extravagantes sobre a morte. O autor da vida, que dá a *bios* e *zoë*, foi tomado pela dor no túmulo de seu amigo (Jo 11.1-44). Jesus veio para tirar essa maldição. A morte é frustrada pela misericórdia de Deus. "Porque o salário do pecado é a morte, mas o dom gratuito de Deus é a vida eterna em Cristo Jesus, nosso Senhor." (Rm 6.23).

Por meio de sua morte na cruz, Jesus pagou nossa dívida para tirar o terrível aguilhão da morte, e ele nos dá vitória sobre o nosso último inimigo. O "instinto" de Jesus o compeliu a voltar seu rosto para Jerusalém, onde ele se permitiria ser crucificado para redimir, sustentar e glorificar aqueles cuja esperança está nele.

Jesus nos salvou completamente para que não nos entristeçamos como aqueles que não têm esperança (1Ts 4.13). Lamentamos a morte de nossos entes queridos, sabendo que o amor de Deus é mais poderoso do que as garras da morte. A morte toma a vida dos crentes, mas a morte não pode segurá-los, já que essas pessoas queridas são retomadas por Jesus. Os santos vivem para sempre na presença de Deus, onde eles estão mais vivos do que nunca.

Esse poderoso amor de Deus é nosso, não apenas na nossa morte, mas também na nossa vida cotidiana. O mesmo poder que ressuscitou Jesus dentre os mortos dá vida a nossos corpos mortais, mesmo agora. "Se habita em vós o Espírito daquele que ressuscitou a Jesus dentre os mortos, esse mesmo que ressuscitou a Cristo Jesus dentre os mortos vivificará também o vosso corpo mortal, por meio do seu Espírito, que em vós habita" (Rm 8.11). Jesus oferece o seu poder para as mães que vivem neste mundo pela fé, como filhas sofredoras, amorosas, pacientes, perseverantes e trabalhadoras do Rei. No trabalho de parto ou perseverando na papelada da adoção, buscando em oração o bem de nossos filhos, e em todas as coisas que vivenciamos – o autor da vida nos sustenta.

A Bíblia diz que, se temos participação na morte de Cristo por meio de nossa fé em sua substituição pelo nosso pecado, nós, portanto, também temos participação em sua vida (Rm 6.1-12; Fp 3.10-11). O poder de Cristo está disponível para nós quando recebemos Cristo Jesus, o Senhor. Devemos andar nele, enraizadas e edificadas nele, e confirmadas na fé, assim como fomos ensinadas, abundando em ação de graças. Cuidemos para que ninguém nos leve cativas por filosofias e vãs sutilezas que não estão de acordo com Cristo. Muitas coisas procuram nos distrair ou desencorajar do bom trabalho que Deus deu. O mundo está transbordando de falsas esperanças e sonhos míopes para a maternidade, mas Jesus permanece para sempre. Jesus é suficiente: "porquanto, nele, habita, corporalmente, toda a plenitude da Divindade. Também, nele, estais aperfeiçoados. Ele é o cabeça de todo principado e potestade" (Cl 2.9-10).

  Jesus é glorificado em nossa comunhão umas com as outras quando mães cristãs vivem em união.

  Jesus desafia as garras da morte quando mães escolhem nutrir a vida humana pela graça comum de Deus.

  Jesus empurra as portas do inferno quando mães exultam na graça de Deus na cruz agindo particularmente em seus esforços maternais.

Que o Deus que nos criou à sua imagem receba todo louvor e glória em Cristo Jesus por meio de mães vivificadas juntamente com ele.

3

Cérebro de Mãe

Lembro-me de quando o nosso filho mais novo fez a sua primeira brincadeira. Eu o apoiava em meu quadril durante a nossa reunião na igreja enquanto falava com uma amiga. Era hora de irmos embora, então eu o instruí: "Temos que ir, Judson. Diga 'tchau' para Shami".

"Tchau, tchau!", ele repetia enquanto acenava com a mãozinha no ar. Em seguida, ele se inclinou em direção à minha amiga com os lábios franzidos. Nós duas estávamos encantadas com a sua demonstração de afeto. Judson se inclinou para tascar um grande e molhado beijo de bebê em Shami. Rindo, ela inclinou seu rosto em direção a ele para receber o presente. Mas, no último segundo, meu filho se virou e tascou esse beijo em cheio na *minha* bochecha. Ele se desfez em gargalhadas. Considero isso a primeira brincadeira do Judson. Travessuras são uma tradição estimada em nossa família. Você pode imaginar como eu fiquei orgulhosa dele naquele momento. Mesmo sendo criança, ele estava adaptado à nossa cultura familiar de humor. E, no fim das contas, ele deu um beijo de despedida na Shami.

Crianças crescem tão rápido, não é? Não passa um dia sem que eu diga isso para mim mesma ou ouça isso de alguém. Mesmo assim, eu não vivo necessariamente como se isso fosse sempre verdade.

A AMNÉSIA DOS PAIS

Apesar dos sinais diários de crescimento e desenvolvimento que eu percebo nos meus filhos, eu sofro de crises de amnésia. Amnésia de mãe e pai não é apenas quando você entra em uma sala e esquece por que você está carregando o cesto de roupa com quatro canecas sujas nele. Isso é chamado de *normal*. Amnésia parental é quando nos esquecemos de duas coisas: do amanhã e da eternidade.

Em primeiro lugar, nos esquecemos de que, se Deus quiser, nossos filhos um dia crescerão e se tornarão adultos. Eu tenho dificuldade em imaginar a minha filha de cinco anos de idade com seus trinta e cinco ou sessenta e cinco anos. Seu maior objetivo agora é esperar pacientemente para mexer no seu primeiro dente mole. Ela vibra constantemente sobre o quanto está se esforçando para aprender a ver as horas. Ela espalha manteiga de amendoim em fatias de pepino, e ela gosta. Não é à toa que, às vezes, eu suponho que ela terá cinco anos para sempre e fará coisas dessa idade para sempre.

A segunda coisa que nos esquecemos é de que nossos filhos são muito mais do que apenas adultos em potencial que um dia contribuirão para a sociedade. Por mais que eu goste de ter pequenos ajudantes para esvaziar a máquina de lavar louça, o fato da eternidade nos impede de enxergar nossos filhos a partir de uma perspectiva utilitarista. Nossos filhos são pessoas criadas à imagem de Deus, e eles têm almas eternas, e isso traz valor às suas vidas, mesmo que vivam com uma maturidade prejudicada quando adultos ou nunca atinjam a idade adulta. Ser mãe é loucamente divertido, no entanto, por causa da eternidade, é, ao mesmo tempo, uma alegria séria.

Como mães, podemos tão facilmente nos fixar na imaturidade desses pequenos portadores da imagem de Deus, que mostram às pessoas as suas melecas, que esquecemos de valorizá-los como reflexos da glória de Deus. Em nossos nobres esforços para praticamente educarmos nossos filhos para crescerem e se tornarem adultos, muitas vezes nos esquecemos de algo. Nos esquecemos do sol nascente que sinaliza mais um dia de graça em que Deus nos confiou a tarefa de instruir os pequenos portadores de sua imagem a amá-lo e honrá-lo acima de tudo e para sempre.

Quando as coisas terrenas surgem maiores que a vida eterna, nos esquecemos de quem Deus é, de quem somos e de quem nossos filhos são.

Tendemos a nos esquecer do amanhã e da eternidade quando nosso dia é preenchido com a tirania do urgente. Você já se sentiu como a bola no jogo de fliperama que rebate nas paredes? Nós supervisionamos os trabalhos de casa enquanto impedimos nosso filho de dois anos de enfiar os braços na privada. Damos vereditos no Tribunal da Mamãe a fim de decidirmos de quem realmente é o brinquedo. Tentamos não nos esquecer de tirar a roupa lavada da máquina e pendurá-la no varal para que possamos ter roupas limpas no dia seguinte. Não me admira o fato de lutarmos para lembrar o que fizemos nessa manhã, muito menos para manter uma perspectiva eterna.

Quando temos a eternidade em mente, respondemos à maternidade de forma diferente do que se vivêssemos apenas para o momento. Vemos que nossos filhos estão marchando em direção a um destino. Consideramos que as nossas lutas efêmeras e temporárias estão passando enquanto aguardamos por Jesus, nossa bendita esperança. Ansiamos por esse dia com expectativa da graça futura de Deus porque nossos momentos ordinários têm importância e significado eternos. Fazemos sacrifícios em nossas decisões e planejamentos porque entendemos que pertencemos a Deus. Deus nos chamou para algo muito maior do que a nossa felicidade ou a de nossos filhos.

Como Paul Tripp disse em seu livro *Forever*: "Eternidade nos diz que nossos filhos nunca serão o centro do universo. Eternidade nos diz que nossos filhos não escreverão suas próprias histórias, nem nós escreveremos as suas histórias. Eternidade nos lembra que nossos filhos não nos pertencem; eles pertencem a Deus. Como pais, somos agentes de Deus, enviados para promover a sua vontade".[8] Manter uma perspectiva eterna nos mantém firmes nos propósitos de Deus.

LEVANTE O SEU OLHAR ATRAVÉS DA PALAVRA DE DEUS

Para mim, a amnésia parental se instala como um nevoeiro nas primeiras horas da manhã. Se eu não renovar minha mente com as verdades da Palavra de Deus, então o nevoeiro não se dissipa e não deixa a luz da esperança do evangelho entrar. Até o final do dia, estou perdida em uma nuvem de desânimo que não se eleva. Precisamos da bússola da eternidade para direcionar a nossa perspectiva.

É fácil deixar a nossa perspectiva ser enterrada em uma avalanche de misturas de algodão no Monte da Lavanderia. Mesmo assim, precisamos fazer um esforço para lembrar que o nosso trabalho é mais do que alimentar, banhar, vestir e ajudar na educação dos nossos filhos. Essas tarefas são significativas em si mesmas porque são parte da mordomia que Deus nos deu. Como mães cristãs, Deus nos chama a conviver com algo que podemos enxergar apenas com olhos espirituais – a eternidade.

A principal maneira pela qual Deus estampa a eternidade em nossos olhos é por meio de sua Palavra. Se você segurar uma Bíblia na posição vertical e deixar suas páginas abrir, ela provavelmente abrirá no meio, bem perto do Salmo 119. O Salmo 119 é o maior capítulo da Bíblia, e se você for capaz de ler em hebraico bíblico, então você notará que ele é um tipo de poema acróstico. Cada verso é dedicado à apreciação e à adoração da Palavra de Deus.

O Salmo 119 contém encorajamento para as mães em seus trabalhos que duram dia e noite. É como um balde de água fria que poderia acordar até mesmo a alma mais privada de sono e os olhos mais sonolentos. No Salmo 119, você encontrará aplicação específica, pessoal, do tipo ele-deve-ter-lido-o-meu--diário (como se eu tivesse tempo para escrever um diário). Não é incrível como Deus nos fala através da sua Palavra?

Percebi que esses versos do Salmo 119 têm relevância concreta ao me inspirarem a fazer algumas mudanças oportunas em minha rotina diária (e noturna).

- Lembro-me, SENHOR, do teu nome, durante a noite, e observo a tua lei. (v. 55)
- Levanto-me à meia-noite para te dar graças, por causa dos teus retos juízos. (v. 62)
- Quanto amo a tua lei! É a minha meditação, todo o dia! (v. 97)
- Antecipo-me ao alvorecer do dia e clamo; na tua palavra, espero confiante. (v. 147)
- Os meus olhos antecipam-se às vigílias noturnas, para que eu medite nas tuas palavras. (v. 148)

Quero *esperar em Deus* quando meus filhos me acordam antes do meu alarme. Quero *amar a Palavra de Deus* todos os dias em que estou afundada no trabalho terreno de cuidar da minha casa. Quero *meditar nas promessas de Deus, dar graças a ele* e *me lembrar dele* quando estou acordada com o bebê à meia-noite e às 3 da manhã (e às 22 da noite, 2 da manhã e 5 da manhã, durante picos de crescimento).

De acordo com o Salmo 119, não há nenhuma hora do dia ou da noite em que a Palavra de Deus *não* seja relevante para as nossas vidas. Mesmo quando estamos mais preocupadas em fazer as merendas da escola e em escolher roupas para as fotos de família, a Palavra de Deus pode levantar o nosso olhar para o horizonte da eternidade.

ESPERANÇA EM CRISTO

A realidade do 'para sempre' nos lembra de priorizar a eternidade em nossas esperanças para com os nossos filhos. Mas, antes de estendermos uma perspectiva eterna a outros, devemos esperar em Cristo. Muitas vezes, a minha esperança está baseada nas minhas circunstâncias, que estão em constante mudança. Eu digo coisas como: "Eu realmente preciso que o bebê tire uma soneca nesta manhã", que é uma coisa boa para se dizer e esperar. Mas se chega a hora do almoço, e a soneca não aconteceu, e eu estou tão emocionalmente frustrada que isso arruína a minha tarde, então eu provavelmente coloco mais fé nessa soneca do que nas circunstâncias imutáveis do evangelho.

Nós, mães, como qualquer outra pessoa que luta com o peso do pecado, tendemos a esquecer o evangelho, e nossa ignorância sobre a esperança que temos em Cristo gera frutos podres, como crises de identidade e descontentamento. Precisamos nos lembrar de que Deus não é menos bom para nós quando nos encontramos em uma batalha de vontades com um pré-escolar na fila do caixa do supermercado do que ele era quando seu filho arrastou uma cruz, colina acima, naquela sexta-feira há dois mil anos.

Deus intercede misericordiosamente nesses momentos e me mostra que os seus caminhos estão acima dos meus. Pela graça de Deus posso resistir à tentação de tratar meus filhos como interrupções da *minha* vontade para a minha vida. Em vez disso, Deus me capacita a tratar meus filhos como presentes preciosos que ele está usando para me moldar à sua imagem de acordo com a *sua* vontade para a minha vida.

Certa manhã, minha filha correu de volta para o andar de cima, a fim de pegar sua bolsa antes de sair de casa. Ao carregar uma bolsa vazia, ela sente que está pronta para salvar qualquer filhote de cachorro ou gato abandonado com o qual se deparar. (Uma vez ela resgatou um pássaro que se afogava na piscina do nosso apartamento e o carregou em sua bolsa para o gramado mais próximo). Enquanto eu lutava para conseguir fazer nosso circo familiar sair de casa, pensei em dizer a ela para simplesmente deixar a bolsa para trás. Mas algo me fez ficar parada na porta com bolsas penduradas em mim. Fiquei impressionada com o pensamento de que parecia ter sido ontem que essa criança era um bebê indefeso. Ela precisava de cuidado em todos os sentidos. E agora, apenas um segundo mais tarde, ao que parecia, ela já queria cuidar dos outros e tinha a capacidade de fazê-lo. Algum dia essa doce criança pode vir a ter maiores responsabilidades para ajudar os indefesos.

Naquele momento escolhi apreciar a obra de Deus enquanto essa cena se desenrolava. Decidi não lhe dizer para simplesmente entrar no carro. Ela subiu a escada para pegar sua bolsa.

À luz da eternidade, quero aproveitar as oportunidades diárias para levantar o olhar da minha filha para que ela admire Deus e reflita a sua imagem. Eu também preciso fazer isso! Minha sequência de pensamento foi interrompida quando ela pulou os dois últimos degraus e parou no hall de entrada com a bolsa na mão. "Eu peguei!", ela anunciou sem fôlego. "Agora posso trazer filhotes para casa como Jesus nos traz para casa!"

Às vezes Deus usa nossos filhos para nos lembrar da perspectiva eterna que nós esquecemos. Eles crescem tão rápido, não é?

ABRAÇANDO A ETERNIDADE

Pensar bem e com frequência na eternidade não é uma perspectiva pessimista. Quando negamos a realidade da eternidade ou vivemos na ignorância dela, estamos perdendo a *alegria* de Deus.

Eu entendo que toda essa conversa sobre eternidade poderia evocar um sentimento de urgência em relação a quão pouco tempo nós temos. Até certo ponto, sentir a força gravitacional da finitude é saudável. Cuidar dos filhos pode nos levar a fixarmo-nos apenas nos meros minutos do dia (ou da noite). Devemos orar como o salmista: "Ensina-nos a contar os nossos dias, para que alcancemos coração sábio" (Sl 90.12). Devemos pedir ao Senhor que nos lembre de que "as coisas que se vêem são temporais, e as que se não vêem são eternas" (2Co 4.18).

É por isso que devemos tomar cuidado para que não pensemos que o maior problema de uma mãe é a falta de tempo. Como sou tentada a considerar uma temporada agitada como um obstáculo para me alegrar no Senhor! O maior obstáculo para a nossa alegria em Deus não é a falta de tempo. Quando perdemos de vista uma perspectiva eterna em nossas vidas diárias, a expiação não se torna vital nem preciosa para nós. Um presente maior do que o tempo é o presente do perdão pelos nossos pecados por meio de Jesus Cristo, de forma que podemos contemplar o nosso Deus santo.

Viver com a eternidade em mente é, em última análise, uma obra do amor redentor de Deus em nossas vidas. Não tenho como expor para você um plano criativo e estratégico para a construção de um coração que abraça os propósitos de Deus na eternidade. Nenhuma de nós pode reunir força de vontade suficiente para amar a Deus e o seu glorioso reino. Somente a graça redentora, toda-poderosa e transformadora de Deus pode elevar o nosso coração intoxicado pelo pecado dos mortos, nos dar a vida eterna e direcionar o nosso olhar para Jesus, nossa bendita esperança. Aqueles cujas almas foram revividas pela graça experimentaram algo que Jesus comparou com o milagre do nascimento. Ele o chamou de "novo nascimento". "Em verdade, em verdade te digo que, se alguém não nascer de novo, não pode ver o reino de Deus" (Jo 3.3).

Como descendentes de nossos primeiros pais, cujo pecado no jardim trouxe julgamento sobre toda a humanidade, ficamos admirados com a graça comum de Deus ao ordenar que a vida humana devesse continuar em nosso mundo caído. Homens e mulheres podem ver a graça comum de Deus em dar o dom da vida. Isso é verdade quer seja um filho biológico ou não. Isso é verdade mesmo se uma criança for levada para o céu antes de nascer. Quando consideramos o milagre da vida, podemos começar a entender o que nos aconteceu quando nascemos de novo e recebemos a vida eterna. Onde anteriormente não havia vida, Deus dá vida. Quanta *graça!*

Nascemos mortos em nossas transgressões – já em inimizade com Deus, antes de falarmos a nossa primeira palavra ou nos apegarmos ao nosso primeiro pensamento orgulhoso. Estar separado da vida em Deus é um viver morto. Por meio da fé, vemos o dom de Deus multiplicado a um grande número de pessoas. Porque Abraão creu em Deus, podemos traçar nossa linhagem espiritual de volta para ele. "Por isso, também de um, aliás já amortecido, saiu uma posteridade tão numerosa como as estrelas do céu e inumerável como a areia que está na praia do mar" (Hb 11.12).

A fé de Abraão era como a de Adão. Embora a morte tenha reinado por causa do pecado, ambos creram na promessa de vida de Deus. Podemos nos maravilhar com a graça de Deus juntamente com o apóstolo Paulo: "Muito mais os que recebem a abundância da graça e o dom da justiça reinarão em vida por meio de um só, a saber, Jesus Cristo" (Rm 5.17). Nossa melhor resposta a essa boa-nova é exultação em nosso Deus misericordioso. "Bendito o Deus e Pai de nosso Senhor Jesus Cristo, que, segundo a sua muita misericórdia, nos regenerou para uma viva esperança, mediante a ressurreição de Jesus Cristo dentre os mortos" (1Pe 1.3).

Andamos pela fé. Podemos colocar nossos filhos na cama pela fé, fechar nossos olhos para dormir (ação frequentemente interrompida) pela fé, e acordar de manhã cheios de fé porque Jesus é a nossa esperança, mesmo quando nossos filhos crescem rápido demais para o nosso gosto.

4

Regra Número 1: Sempre Precisamos da Graça de Deus

Autodisciplina é uma luta que acontece de forma sazonal para mim. Há momentos em que sou muito diligente, e há momentos em que a diligência cede lugar para a conveniência.

Quando minha filha mais velha chegou à idade pré-escolar, eu pensei que havia solucionado os meus problemas de autodisciplina. Você quer saber o segredo?

Se você quer ser lembrada de alguma coisa, basta dizer a um pré-escolar o que você está planejando fazer e certifique-se de dizer a palavra "sempre". Por exemplo, eu não suporto ver uma tigela com resto de massa de *cookie* afundar na pia, a menos que ela já tenha sido "limpa". Para combater o meu problema de autodisciplina com a massa de *cookie*, recrutei minha filha.

"Mãe, você disse que não ia *mais* comer massa de *cookie*, porque você *sempre* nos daria a tigela para lamber!"

"Eu sei que eu disse, querida. Mas veja, tem..."

"Mas nós *sempre* lambemos a tigela!"

"Eu sei que vocês lambem. Aqui, olha – o resto da massa de cookie é de vocês."

"Você disse que nós sempre lamberíamos a tigela."

"Eu sei, mamãe sente muito."

"Mãe, o que você está mastigando?"

Pré-escolares irão cobrar você sobre qualquer regra que tenha estabelecido. Eles levam isso a sério. Quer se trate de *sempre* colocar primeiro o sapato do pé direito ou *nunca* misturar as cores da massa de modelar, regra é o nome do jogo.

Então, a moral da história é expressar apenas as expectativas que você tem certeza que irá cumprir?

Livros sobre liderança discutem sobre como moldar a cultura dentro de uma corporação. Executivos e gerentes não são os únicos que se importam com essas ideias. Os pais têm a responsabilidade e o privilégio de moldar o ethos da casa. *Ethos* significa simplesmente "os seus costumes". A palavra *ethos* não significa muito para um bebê ou um pré-escolar, mas as crianças sabem o que fazem *sempre*. "O papai *sempre* me dá tchau da rua em seu caminho para o trabalho". "Você *sempre* deixa a luz do meu banheiro acesa à noite". "Eu *sempre* sento nessa cadeira da mesa de jantar". "Nós *sempre* assistimos a um filme nas tardes de sexta-feira".

Talvez eu nunca esqueça a semana em que perdemos o Elmo. Minha filha sempre tirou suas sonecas com seu boneco Elmo no berço. Percebemos o quanto ela se importava com esse hábito, quando ela agiu de forma birrenta. As coisas do tipo "nós sempre" são especiais e importantes. Elas fornecem a confiança de que nossos filhos precisam. O "nós sempre" pode ser divertido de se começar e perseverar. Alguns amigos nossos têm uma tradição chamada Sábados das Rosquinhas, quando o pai leva as crianças para comerem rosquinhas na parte da manhã. Que tradição divertida!

Eu tenho grandes ideias para inventar tradições. Uma vez tentei instituir uma "tradição" chamada "Quartas-feiras sem palavras": em vez de discutir uns com os outros com berros e gritos, faríamos mímicas. Essa ideia não funcionou com as crianças.

SEMPRE PRECISAMOS DA GRAÇA DE DEUS

Mães têm um papel estratégico em permitir que o evangelho molde a sua casa, ao esperarem sempre na necessidade que têm da graça de Deus. Você precisa da graça de Deus? Ou você tem o que é preciso para trabalhar nas múltiplas tarefas da sua rotina? Você precisa da graça de Deus? Ou você já "passou por isso antes" com o seu marido, e sabe que esse conflito se resolverá com o tempo? Você precisa da graça de Deus? Ou você só precisa do Google? Você precisa da graça de Deus? Ou você praticamente já tem a maternidade toda resolvida?

Se quisermos dar graça aos nossos filhos, então primeiro temos que estar dispostas a recebê-la de Deus.

Em meio às infinitas possibilidades para o "nós sempre" de nossas casas, há uma única expectativa que podemos estar certos de encontrar todos os dias, quer estejamos conscientes disso ou não: *sempre precisamos da graça de Deus*. Como um hinólogo escreveu: "Toda a habilidade que ele exige é sentir a sua necessidade dele".⁹

Graça é a coisa mais importante para mantermos em mente enquanto moldamos as expectativas de nossa casa. Nossos filhos precisam crescer sabendo que "sempre confiamos em Deus porque ele é capaz de nos ajudar e está disposto a fazê-lo" e "sempre louvamos a Deus, porque ele é o nosso tesouro mais valioso". E precisamos nos levantar a cada manhã sabendo que "eu sempre confio em Deus porque ele está disposto e é capaz de me ajudar".

O evangelho deve moldar a nossa forma de moldar nossa casa por meio de nossas tradições. Será que isso significa que devemos estudar o catecismo com nossos filhos? Será que isso significa que temos que ser mais intencionais sobre como celebramos feriados religiosos? Talvez. Essas são questões pessoais.

O evangelho, no entanto, não é uma questão de preferência pessoal; é uma questão de vida e morte espiritual. O evangelho pode moldar a nossa casa quando nós, mães, percebemos que não alcançaremos sempre os padrões de excelência que desejamos. Se quisermos dar graça aos nossos filhos, então devemos estar dispostas a recebê-la de Deus primeiro. Tendemos a nos chafurdar na vergonha ou a ser cínicas em relação à nossa incapacidade de não incorrer no mesmo erro. Em algum momento, fracassaremos e, às vezes, cairemos feio. Então devemos nos gloriar no evangelho, porque nele Deus misericordiosamente nos dá Cristo para ser nosso tesouro valioso. Coisas como "culpa de mãe" não podem nos esmagar porque Cristo foi esmagado na cruz em nosso lugar. Jesus é a nossa esperança; ele cumpriu as mais elevadas expectativas de perfeição de Deus, e todas as promessas de Deus encontram nele o seu sim (2Co 1.20). Nele, encontramos misericórdia em tempos de necessidade – que é *sempre*.

SENDO MODELOS DE COMO "SEMPRE PRECISAMOS DA GRAÇA DE DEUS"

Uma maneira de ensinar nossos filhos sobre a nossa necessidade da graça de Deus em Cristo é confessando adequadamente nosso pecado para eles. Peça ao Senhor sabedoria sobre isso e ore para que ele lhe conceda a humildade de pedir perdão aos seus filhos quando você precisar fazê-lo. Isso é um desafio para mim, já que frequentemente escolho minimizar a ofensa do meu pecado ou justificá-lo, culpando as minhas circunstâncias. Entristece-me pensar sobre como culpei o pecado dos meus filhos com minha resposta pecaminosa a eles. *Todos* nós sempre precisamos da graça.

Às vezes meus filhos entram no que eu chamo de "corre-corre do pecado", em que uma criança aciona a outra, e, de repente, todas as três estão brigando em um alvoroço. Nesses momentos eu me pergunto: "*Por quê?* O que fez você pensar que essa ou aquela seria a melhor reação por ela ter tomado o seu brinquedo"?

Deus tem sido misericordioso em me dar bastante clareza para as razões desses corre-corres do pecado: meus filhos são pecadores, porque eles são seres humanos. Somos todos pecadores que herdaram a natureza pecaminosa de nossos primeiros pais, Adão e Eva. Mesmo que eu amarrasse meus filhos juntos, para que eles pudessem resolver a discussão sobre quem realmente é o dono daquele brinquedo, eles acabariam discutindo sobre quem é o dono da corda. Eu não sou diferente dos meus filhos. Lidar com aborrecimentos e o pecado dos outros é parte da vida diária, mas podemos escolher reagir a eles de uma maneira que honre a Deus. Sou propensa a explosões quando estou extremamente frustrada. Esse é um grande problema para mim, e ele diz algo sobre como vejo a bondade soberana de Deus. Isso também influencia os meus filhos.

Uma vez o motor da máquina de lavar roupa queimou. Isso representou um grande problema para a nossa grande família com muitos hóspedes. Porque eu acho que o mundo gira em torno de mim, fiquei muito agitada pela inconveniência de um tambor de máquina de lavar roupa não se mexer mais. Eu soltava fumaça pela lavanderia: "Você está *brincando* comigo?" Talvez eu tenha jogado as toalhas encharcadas com força no chão em um acesso de raiva e gritado exasperadamente com os dentes cerrados. Meus filhos ouviram a minha birra e vieram correndo. Quando vi seus olhos arregalados de medo, o Espírito Santo me fez tomar consciência do meu pecado. Meu coração rapidamente se entristeceu pelo pecado e se alegrou pelo meu Salvador, e me arrependi publicamente. Pela graça de Deus aproveitei a oportunidade para lembrar os meus filhos (e a mim) da misericórdia de Deus em salvar pessoas que pensam que o mundo gira em torno delas, quando, na verdade, o mundo existe para ele. Quão bom é o nosso Deus em usar momentos ordinários para nos santificar!

Precisamos sempre de graça. Sermos perdoados de nossos pecados ao nascermos de novo em Cristo Jesus pela fé, por meio da graça, é apenas o começo. Salvação, em suma, significa estar unido a Cristo. E apesar de continuarmos a pecar e sermos tentados todos os dias ao pecado, Jesus, nosso Sumo Sacerdote, permanece disposto e é capaz de vir em nosso auxílio. Podemos confiantemente colocar toda a nossa confiança em Jesus – ele é capaz! Nossos filhos notarão quando valorizarmos Jesus em meio a nossas tentações para pecar. Pela graça de Deus, nosso exemplo de fé testemunhará que "Jesus Cristo, ontem e hoje, é o mesmo e o será para sempre" (Hb 13.8) – *sempre*.

Parte 3

A Maternidade como Adoração

5

O "Chamado à Adoração" de uma Mãe

Brincamos em nossa casa que se alguém quiser acordar em uma determinada hora, tudo o que precisa fazer é colocar o alarme para despertar 10 minutos depois daquele horário. As crianças vencerão o despertador e acordarão mais cedo do que você espera que acordem. Um amigo meu costuma dizer que os filhos são despertadores eficientes, só que eles não têm função soneca.

Quando me casei, meu estilo de vida mudou. Como não era mais solteira, me adaptei à vida com o meu marido, me ajustando à nossa nova realidade juntos. Quando me tornei mãe, meu estilo de vida mudou novamente. Havia novas rotinas para aprender, ajustar, reajustar e reaprender. O pensamento de que "cada bebê é diferente" é verdadeiro, e mães são diferentes também, mesmo quando estão aprendendo e crescendo.

TEMPO PARA MIM, TEMPO TRANQUILO – TUDO É TEMPO DE DEUS

Quando me tornei mãe, uma das primeiras grandes mudanças que ocorreram na minha vida foi na área de disciplina espiritual. Eu estava acostumada a ter o meu próprio tempo. No momento em que a minha barriga começou a esconder os meus pés, as mulheres começaram a me alertar: "Aproveite o seu tempo agora enquanto você pode!" Eu sabia que isso era verdade; eu havia visto minha própria mãe dar do seu tempo para mim e minhas irmãs. No entanto, eu não imaginava que a primeira coisa a sair da minha rotina diária seria o meu tempo regular de devocional com o Senhor. Infelizmente, minha reação inicial foi culpar a bebê e a minha nova fase de vida.

Eu tinha uma perspectiva distorcida do tempo, acreditando que ele me pertencia e que eu poderia organizá-lo como quisesse. O tempo para *mim* e o tempo *tranquilo* gritaram e espernearam em seu caminho para fora de casa, à medida que a vida da jovem mãe entrava em cena. Meu estudo disciplinado e rigoroso da Palavra de Deus, de repente, parecia acontecer somente quando escrevia trabalhos para os meus professores do seminário. Percebi que a única vez que eu orava era quando não estava ocupada com a bebê, e eu estava ocupada cuidando dela o tempo todo. Confessei a uma amiga que me tornar mãe me fez sentir como se tivesse esquecido o Senhor, e a minha prática das disciplinas espirituais revelou ser dependente do meio em que vivia.

Serenidade, silêncio e solidão são coisas boas. Deus usa a tranquilidade para preparar o nosso coração para ouvi-lo por meio de sua Palavra. O silêncio pode nos ajudar a orar sem distrações. Quando há tranquilidade ao nosso redor, o Senhor pode aquietar o nosso ocupado coração. Tempo "verdadeiramente sozinho" com o Senhor é um presente. Mas também é um presente o tempo em que você está dirigindo o "espetáculo de circo" que é a família. O Senhor está tão perto de você quando está usando um aspirador nasal em um pequeno nariz congestionado, quanto quando você está convocando a sabedoria de Salomão para resolver uma disputa acerca de um brinquedo.

Minha vida espiritual definhou quando minha primeira filha nasceu. Isso não foi culpa dela, de maneira alguma. Eu acreditava na falsa premissa de que o Espírito Santo me confortaria, guiaria e asseguraria apenas quando minha rotina estivesse vazia ou o meu diário estivesse no colo. Eu pensava que não podia ouvir Deus se houvesse barulho na minha vida.

Quando o barulho e a correria vieram, falhei em me esforçar para ter comunhão com Deus. Adquiri o mau hábito de chamar o dia de um fracasso – espiritualmente falando – se eu não fosse a primeira pessoa acordada a desfrutar do silêncio e da solidão em nossa casa. Eu ficava frustrada até não poder mais quando algo ou alguém refutava meus planos bem definidos de ter comunhão com o Senhor, em silêncio, logo que eu acordasse.

O Espírito me tornou bem consciente da grosseria do meu pecado, trazendo à mente passagens sobre a bondade do Senhor. Particularmente, essa descrição da misericórdia de Deus para com os pecadores realmente amoleceu o meu coração: "Não esmagará a cana quebrada, nem apagará a torcida que fumega" (Is 42.3). Eu sabia que se eu fosse uma cana quebrada ou uma torcida que fumega era somente pela graça de Deus. Eu achava que tinha muitos motivos para ser amarga. A principal raiz amarga que se enrolou em volta do meu coração era que eu tinha que fazer todo o trabalho físico de criar nossa bebê devido à deficiência física do meu marido. "Se pelo menos eu pudesse contar com a ajuda física do meu marido, então talvez eu tivesse tempo para o Senhor," Esse era o meu pensamento errado. Mal sabia que a bondade de Deus estava a ponto de prevalecer sobre o meu coração amargurado (Rm 2.4).

Senti que minha perspectiva sobre a natureza da vida espiritual como uma jovem mãe estava sendo chacoalhada e remodelada. Tive uma conversa edificante com uma amiga querida. Ela compartilhou comigo 2 Coríntios 9.8: "Deus pode fazer-vos abundar em toda graça, a fim de que, tendo sempre, em tudo, ampla suficiência, superabundeis em toda boa obra". Deus planeja o fim desde o começo e governa todo o tempo entre os dois, e ele é capaz de me dar a graça que preciso para o tempo que planejou, bem no momento em que preciso dela, para que eu possa estar debaixo de sua vontade. Se Jesus me assegurou que está comigo até o fim dos tempos (Mt 28.20), então certamente ele está comigo sempre que carrego minha bebê, limpo a casa, dirijo o carro, cuido da bebê à noite e ajudo o meu marido.

AS ASSIM CHAMADAS INTERRUPÇÕES

Quando sentimos que o nosso meio deve ser "exatamente dessa maneira" a fim de termos comunhão com Deus, qualquer fator surpresa ganha o nome de "interrupção". A súplica de uma criança para obter ajuda com um jogo é uma interrupção. O horário precoce das crianças acordarem é uma interrupção. O bebê que se recusa a se acalmar é uma interrupção.

E se Deus quiser ter comunhão conosco exatamente onde estamos – até mesmo na agitação da vida comum? Com toda certeza ele quer. Considere como o Deus trino está trabalhando para garantir que você contemple a sua glória ao longo dos seus dias e noites.

Seu Pai celeste é soberano sobre todas as coisas. Um pardal deixa a sua pena cair no chão, escapando das garras de um menino curioso. A bateria do carro morre no estacionamento, após um dia de brincadeira, no momento em que seus filhos superfatigados atingem o limite deles. A chupeta cai da boca do bebê pouco antes de o bebê dormir. Nada – *nada* acontece sem o soberano Senhor ordenar. Ele é digno de confiança e louvor em cada momento, em cada circunstância.

O eterno Filho de Deus é *Emanuel* – Deus conosco. Jesus cumpriu a santa lei de Deus, foi crucificado em nosso lugar, ressuscitou vitoriosamente dos mortos, e está reinando à direita do Pai. Jesus satisfez a ira de Deus contra o pecado e nos comprou da escravidão do pecado. Pela fé recebemos a perfeita justiça de Jesus, e ele cria em nós novos corações inclinados a amá-lo. Mesmo quando não sente que isso seja verdade sobre você mesma, uma filha do rei, isso é. Mesmo quando você imagina que a sua vida é um inferno e se esquece de que foi transferida para o reino da maravilhosa luz de Deus, você ainda é dele para sempre. Você pode ter certeza de que nada irá separá-la do amor de Deus por você em Cristo Jesus, seu Senhor – "nem morte, *nem vida*" (Rm 8.38).

O Espírito Santo de Deus habita no coração dos crentes e escreve a lei de Deus em seus corações. Quando meditamos na Palavra de Deus, o Espírito tem prazer em confirmar em nosso coração que Deus é quem ele diz ser. O Espírito graciosamente nos desperta para a aflição do nosso pecado e aviva em nós um afeto pela santidade de Deus. Quando colocamos nossa mão no arado (ou seja, na esponja), o Espírito nos vivifica para trabalhar para o Senhor. O Espírito nos ajuda em nossa fraqueza e ignorância, orando por nós quando não sabemos pelo que orar. O Espírito Santo é como o impulso que vai de nossas papilas gustativas para o cérebro com a mensagem de que fatias de laranja cobertas com chocolate meio amargo são excelentes. Quando provamos, por exemplo, a providência ou nossa união com Cristo, é o Espírito que diz ao nosso coração que *o Senhor é bom*.

UM CONVITE PARA ADORAR A DEUS

Nas reuniões semanais de adoração de nossa igreja, temos o que se chama de "o Chamado à Adoração". Alguém vai até a frente com o microfone e lê um trecho das Escrituras, convidando todos para adorar a Deus. Alinhado à ideia das "assim chamadas interrupções", mães ouvem o "chamado à adoração" ao longo dos seus dias e noites. Se tivermos ouvidos para ouvir esses convites, então temos oportunidades para adorar ao Senhor, que está mais próximo de nós do que muitas vezes percebemos.

Bebês choram por comida, carinho, companhia e amor. Eles rogam a nossa ajuda. Os gritos dos nossos preciosos pequeninos nos lembram de que nós não somos muito diferentes deles. Nós também estamos desamparados e em um estado desesperado; precisamos desesperadamente do Senhor. A Palavra de Deus nos instrui a não desistir de clamar por ele até que ele responda. Sintonize o seu coração para ouvir as suas fraquezas e impotências diante do Senhor, mesmo nos momentos difíceis. "Inclina, SENHOR, os ouvidos e responde-me, pois estou aflito e necessitado" (Sl 86.1).

Nossos corações podem ser chamados a adorar mesmo em meio a gritos de raiva. Crianças frustradas gritam indignadas com a perda de um "bem precioso" da caixa de brinquedos. A justiça deve ser cumprida! E quanto a você? Você alguma vez sentiu justa indignação pela injustiça? Você se permite sentir dor pelo seu próprio pecado? Você entorpece a sua consciência com "Oh, bem, o que pode ser feito?", ao ver o horror do mal em nosso mundo? Quando um cristão reconhece a maldade do pecado e do mal, o Espírito conforta o seu coração e o leva à exaltação do Deus que vence os seus inimigos com justiça perfeita. Quando você sentir frustração e indignação, lembre-se do que a Palavra de Deus diz sobre a quem pertence a prerrogativa de executar justiça. Responda em seu coração com uma postura de descanso tranquilo no plano de Deus de conquistar seus inimigos. "Os ímpios, no entanto, perecerão, e os inimigos do SENHOR serão como o viço das pastagens; serão aniquilados e se desfarão em fumaça" (Sl 37.20). E alcance aqueles à sua volta com misericórdia e amor, servindo como um servo humilde.

"Olha para mim, mamãe!" Em meio a melodias suaves que tocavam através dos alto-falantes, uma pequena bailarina me convida ansiosamente para vê-la rodopiar. Ela quer compartilhar sua alegria com todos que quiserem assistir e se encantar com a música e a dança. Sua expectativa de compartilhar a alegria me lembra de como Jesus me convida para participar de sua infinita alegria para sempre. Você já reparou que uma criança pequena não irá parar de convidá-la para participar da sua alegria até que você ceda? A alegria de Jesus não é de curta duração nem passageira; ela é completa e chega às mais extremas profundezas de nosso coração. Responda pela fé ao convite de Jesus de satisfazê-la totalmente para sempre. *"Tenho-vos dito estas coisas para que o meu gozo esteja em vós, e o vosso gozo seja completo"* (Jo 15.11).

Em meio ao barulho do vento que corre pelo carro posso ouvir um choramingar vindo do banco de trás. A impaciência é manifesta na reclamação. Isso é tão eu. Quero o que eu quero, e quero para ontem. Enquanto jogo um pacote de biscoitos nas mãos de um pré-escolar faminto, lembro-me de como é difícil reclamar quando o seu coração está cheio de louvor. Você já ouviu a advertência "Não fale com a boca cheia". Mas a Bíblia diz o contrário – devemos falar com a nossa boca e coração cheios! "Os meus lábios estão cheios do teu louvor e da tua glória continuamente" (Sl 71.8); "Aleluia! De todo o coração renderei graças ao SENHOR, na companhia dos justos e na assembleia" (Sl 111.1); "O homem bom do bom tesouro do coração tira o bem, e o mau do mau tesouro tira o mal; porque a boca fala do que está cheio o coração" (Lc 6.45).

Para mim, o convite à adoração que mais tenho dificuldade em ouvir é aquele no início da manhã. Nos anos em que nossa jovem família teve que dividir um quarto, eu era regularmente despertada por sussurros ofegantes e animados em meu ouvido, anunciando o próximo nascer do sol. Minha incredulidade sonolenta é apenas uma fração da exaustão e peso de alma que sentiram as mulheres que chegaram a um certo túmulo antes do amanhecer e não esperavam contemplar o Filho ressurreto.

Mas porque Jesus ressuscitou dentre os mortos, cada glorioso nascer do sol (mesmo os precoces) avança e nos leva a olharmos adiante para o dia que está chegando, quando será o fim da escuridão para sempre. Nesse dia todos nós veremos nosso Salvador face a face sem dúvidas, ou afeições mornas, ou morosidade de alma. Então, chamaremos uns aos outros para adorar a Deus para todo o sempre, dizendo: "*Àquele que está sentado no trono e ao Cordeiro, seja o louvor, e a honra, e a glória, e o domínio pelos séculos dos séculos*" (Ap 5.13b).

COMO O CHORO DE UM BEBÊ SILENCIA SATANÁS

Quando um bebê chora no meio da noite – com fome, frio, solitário, molhado, desconfortável – nós, mães, muitas vezes nos sentimos incomodadas. *De novo? O que foi agora?* Nós suspiramos profundamente, gememos, murmuramos, esfregamos os olhos e relutantemente arrastamos nossas pernas cansadas para fora da cama mais uma vez.

Mas essas lágrimas – berradas, frustradas, desesperadas, e tudo o que existir entre isso, – estão anunciando muito mais do que o que o seu bebê quer ou precisa. São gritos que silenciam o inimigo, que odeia a Deus, odeia a criação de Deus e odeia o dom da própria vida. As lágrimas desamparadas de seu bebê estão rasgando o escárnio do diabo em pedaços. O alcance das lágrimas do bebê é cósmico (e não estou falando apenas sobre a altura do som que perfura os ouvidos). No Salmo 8.1, lemos: "Ó SENHOR, Senhor nosso, quão magnífico em toda a terra é o teu nome! Pois expuseste nos céus a tua majestade". O nome do Senhor, isto é, a sua reputação – tudo sobre quem ele é e o que faz – é exaltado acima de tudo e de todos que o desafiam.

O versículo 2 continua esse pensamento e nos compele a ter um sentimento de admiração pela força de nosso Senhor.

Ele magnifica sua força através da fraqueza. "Da boca de pequeninos e crianças de peito suscitaste força, por causa dos teus adversários, para fazeres emudecer o inimigo e o vingador". O inimigo de Deus é Satanás, e Satanás semeia sua amarga vingança ao tomar, abafar, sufocar e mutilar a vida. Como fez o rei Davi no Salmo 8, considere a majestade de Deus na criação do cosmos: "Quando contemplo os teus céus, obra dos teus dedos, e a lua e as estrelas que estabeleceste, que é o homem, que dele te lembres? E o filho do homem, que o visites?" (v. 3-4). O universo criado é um eufemismo quando comparado à glória do seu Criador. Não há nada que tire mais o nosso fôlego do que os céus – exceto o próprio Deus. Os céus que ele criou são apenas um reflexo da sua glória. A nossa Via Láctea sozinha é o lar de, pelo menos, 200 bilhões de estrelas. Quão maravilhadas devemos ficar quando consideramos a magnitude da infinita glória de Deus.

Aquele pequeno bebê carrega a imagem daquele que é Santo. No palco cósmico da glória de Deus exibida no universo, o choro de uma criança silencia a vanglória insolente do inimigo de Deus. Deus ordenou que a vida continuasse apesar da decadente serva do Diabo, a morte. Deus concedeu que a vida eterna prevalecesse por meio de seu Filho, que ressuscitou vitorioso da sepultura, para nunca mais ver corrupção. Deus dá essa vida eterna como presente para aqueles que confiam em seu Filho. A vida está aqui para permanecer eternamente.

Quando você escutar o choro do seu bebê, ore por "ouvidos para ouvir" sintonizados espiritualmente. Ouça como o

Espírito convoca o seu coração em um chamado para adorar o Senhor soberano. Ele usa as coisas fracas para envergonhar as fortes (1Co 1.27); que vislumbre profundamente misterioso do caráter do nosso Deus, cujos propósitos não podem ser frustrados, interrompidos ou prejudicados.

Enquanto você estiver ouvindo, observe. Quando o seu filho pré-escolar chorar por sua amada colher de plástico azul ("Não, mãe, a *amarela* não!"), ou você ouvir o início de uma longa noite através da estática babá eletrônica, olhe através dessas janelas de graça com os olhos do seu coração. Veja evidências da graça de Deus em dar e manter a vida em nosso mundo caído. Creia que Deus está com você em seu bom trabalho da maternidade. Sei que isso é difícil e, muitas vezes, penoso. Mas, uma vez que "os sofrimentos do tempo presente não podem ser comparados com a glória a ser revelada em nós" (Rm 8.18), não fixemos nossos olhos nessas dores passageiras, mas em Cristo. Responda aos chamados de Deus à adoração ao longo de seus dias e noites, servindo e nutrindo pequeninos desamparados, e adorando o autor da vida.

O Amor de Uma Mãe

"Eu amo você um tanto assim!"

Desde que aprenderam a falar, nossos filhos têm sido catequizados com a seguinte pergunta quase todas as noites antes de irem dormir: "Mamãe e papai amam vocês. Mas quem ama vocês mais do que qualquer um?"[10] Essa pergunta é respondida com um sonoro "Jesus!" por todas as vozes no ambiente.

O salmista roga ao Senhor por esse tipo de amor: "Mostra-nos, SENHOR, a tua misericórdia e concede-nos a tua salvação" (Sl 85.7).

Jesus anuncia que ele é a resposta ao clamor do coração do salmista: "Ninguém tem maior amor do que este: de dar alguém a própria vida em favor dos seus amigos" (Jo 15.13). Paulo descreve o amor sacrificial de Jesus em Romanos 5.7-8: "Dificilmente, alguém morreria por um justo; pois poderá ser que pelo bom alguém se anime a morrer. Mas Deus prova o seu próprio amor para conosco pelo fato de ter Cristo morrido por nós, sendo nós ainda pecadores". Alguns versículos antes, em Romanos 5.5, aprendemos sobre o ministério consolador do Espírito Santo, que derrama o amor de Deus em nosso coração.

UMA MÃE AMA PORQUE DEUS A AMOU PRIMEIRO

De fato, o amor inabalável do Senhor é melhor que a vida (Sl 63.3) porque o seu amor nos dá a *sua* vida. Por causa de seu amor, somos capazes de amar. "Nós amamos porque ele nos amou primeiro" (1Jo 4.19).

É esse amor – o amor de Cristo – que compele mães cristãs a amarem seus filhos. O amor de Cristo em seu coração é o que transborda quando uma mãe fala gentilmente a seus filhos, mesmo quando eles não respondem gentilmente. O amor de Cristo ecoando em sua alma é o que faz com que uma mãe estenda graça aos seus filhos, que conseguem ouvir um saco de batatas fritas sendo aberto do outro lado da casa, mas não conseguem ouvir certas palavras ditas na presença deles, como: "Limpe. Seu. Quarto". O amor de Cristo nos controla quando falamos as palavras do evangelho de esperança aos nossos filhos vez após vez. O amor de Cristo convence as mães a não viverem para si mesmas, mas a viverem para Jesus, que morreu e ressuscitou por elas (2Co 5.15).

Uma mãe que tem fé em Jesus Cristo ama por causa da esperança preservada para ela no céu (Cl 1.4-5). Sabemos que isso é verdade porque a Bíblia diz que é verdade. Pessoalmente, outra razão pela qual sei que isso é verdade é porque minha própria mãe me amou de forma sacrificial e incondicional por causa de sua fé em Cristo. A fé na graça futura foi, sem dúvida, o que sustentou o coração da minha mãe no pesadelo que foi a minha adolescência. Eu era uma escarnecedora; ela me amava sinceramente. Eu andei no conselho dos ímpios; ela me amou o suficiente para me dizer que eu estava desgarrada. Eu andava no caminho dos pecadores; ela me amou o suficiente para me contar sobre o perdão de Jesus. Nenhum vale de pesadelo de uma mãe é tão escuro que Jesus não possa suportar seus fardos por todo o caminho.

A esperança na graça futura de Deus por meio de Cristo Jesus é o que mantém o coração de uma mãe firme quando tudo o que ela sente é que está se desfazendo em milhões de pedaços. Sabemos que, por causa do grande amor do Senhor, não somos consumidos, e suas misericórdias não têm fim (Lm 3.22). Mesmo Jeremias, que viu a desolação de sua amada cidade, colocou sua esperança no próprio Senhor Deus e não em suas circunstâncias. Ele reconheceu que as misericórdias de Deus se renovam a cada manhã (Lm 3.23). E essa fé na graça futura de Deus foi o que capacitou Jeremias a dizer: "A minha porção é o SENHOR, diz a minha alma; portanto, esperarei nele." (Lm 3.24). Você não ama a forma como a Escritura faz o seu coração ficar abalado com as inescrutáveis maravilhas da glória e ao mesmo tempo seguro? Imagine – o Senhor é a sua porção. Não está convencida? Basta olhar para o que o Pai fez com o seu único Filho (que voluntariamente deu a si mesmo em seu lugar), a fim de que Jesus pudesse fazer de você o tesouro dele, e você pudesse fazer dele o seu.

Estou tentada a apostar tudo o que tenho na mudança de comportamento, cruzar os dedos e esperar o melhor. Mas a salvação para as mães e seus filhos pertence ao Senhor. Nós – todos nós – devemos depositar a nossa confiança no Filho, agarrando-nos à sua cruz, e devemos nos alegrar na esperança da glória de Deus.

O AMOR COMPLICA A VIDA

O amor sacrificial de uma mãe capacitado pelo Espírito é o que permite que ela voluntariamente "complique" sua vida para o bem de seus filhos. Basta pensar nas dificuldades extraordinárias que você já observou em sua própria vida, na vida da sua mãe, e na vida de outras mães que você conhece. Particularmente, as muitas mães adotivas que conheço dificultaram suas vidas de forma voluntária e alegre a fim de amarem sacrificialmente seus filhos. O amor como o de Cristo encontra espaço, de forma voluntária e alegre, para as dificuldades, a fim de olhar para os interesses dos outros. Se recebemos encorajamento, conforto, afeição e compaixão de Cristo e fomos enxertados nele pelo seu Espírito, então devemos transbordar com esse mesmo encorajamento, conforto, afeição e compaixão que flui da unidade com Cristo (Fp 2.2). Quando servimos nossa família, tomamos o cuidado para não servi-la de uma maneira que aumente o nosso ego; em humildade consideramos os outros superiores a nós mesmos (Fp 2.3). Ao criarmos nossos filhos não existe nenhuma tarefa demasiadamente humilhante quando temos essa mentalidade – a mentalidade de Cristo Jesus, o servo humilde.

Pense em como o Senhor Jesus Cristo, de forma voluntária e alegre, tornou sua vida difícil para que pudesse partilhá-la conosco. Embora subsistisse em forma de Deus, "não julgou como usurpação o ser igual a Deus; antes, a si mesmo se esvaziou, assumindo a forma de servo, tornando-se em semelhança de homens; e, reconhecido em figura humana, a si mesmo se humilhou, tornando-se obediente até à morte e morte de cruz" (Fp 2.6-8). Como se não fosse suficientemente humilhante para o Criador tornar-se o Deus encarnado, esse inocente autor da vida humilhou-se ainda mais, permitindo-se ser crucificado como um criminoso.

É verdade que os nossos filhos precisam ouvir constantemente esse evangelho que dá vida. Nós, mães, precisamos ouvi-lo também.

Lembro-me de como o meu apego ao "eu primeiro" tornou-se evidente para toda a minha família em uma manhã de calor no deserto. As cirurgias no braço de Dave trouxeram alguns períodos de recuperação muito intensos e dor física persistente. Às vezes ele não podia tomar banho sozinho, vestir-se ou alimentar-se. Algumas vezes tive que colocar meus filhos mais novos ao lado do meu marido para alimentá-los todos de uma vez!

Durante uma manhã particularmente difícil, todo mundo estava pedindo pela ajuda e atenção da mamãe. Havia duas fraldas para serem trocadas, ninguém tinha separado suas roupas para aquele dia, e meu marido precisava da minha ajuda para abrir o chuveiro e a pia do banheiro. Em meio aos gritos das crianças, Dave ainda tinha humor para fazer piada: "Muito bem, crianças! Quem de nós gritar mais alto vai ter a ajuda da mamãe para se vestir primeiro!" Eu não ri. Eu não podia.

Por alguma razão, a amargura que eu senti em relação à minha situação era tão profunda que havia criado raízes. Eu estava com raiva, e suponho que eu tenha ficado com raiva por um bom tempo. Eu havia esquecido que Deus não é apático à minha situação. Eu havia deixado de ver a vida como uma batalha pela alegria em meio à tristeza em um mundo caído. Naquele momento eu só queria que todos me deixassem em paz. Eu disse isso em voz alta com os dentes cerrados: "Será que todos vocês me deixam em paz, por favor?" As crianças me ignoraram e continuaram choramingando. Meu marido saiu do banheiro em silêncio sem terminar a sua rotina matinal.

Por que eu estava tão vazia de amor pelos outros? Por que a minha atitude era tão hostil para com as pessoas que eu mais amava? Em minhas reflexões em oração acerca desse incidente, o Senhor graciosamente me revelou que eu tinha um desejo profundo de satisfazer as minhas necessidades antes de satisfazer as necessidades dos outros. Eu percebi como o trabalho quase incessante pela minha família havia sido, na verdade, alimentado por tentativas de reanimar a mim mesma através da minha própria força e de controlar tudo ao meu redor. Eu tinha a mentalidade de que se eu pudesse fazer isso por mais um dia, então eu poderia dormir de novo e ninguém me incomodaria até a manhã seguinte (talvez). Eu tinha a ideia de que se eu descobrisse a tabela de tarefas perfeita, então a casa ficaria arrumada. Eu pensava que se eu pudesse encontrar os melhores truques para pais, então as crianças se apascentariam via piloto automático. E, claro, eu pensava que se a deficiência do meu marido finalmente fosse embora, então todos nós poderíamos continuar com nossas vidas. Eu havia me esquecido do Senhor, e esse tipo de amnésia pode lançar uma sombra profunda na alma.

Amar como Jesus amou é morrer para si mesmo mil mortes por dia. Há momentos em que não estamos motivadas pelo amor de Cristo e nos frustramos com os nossos filhos não porque eles quebram a lei de Deus, mas porque quebram a nossa. Podemos superestimar atitudes erradas insignificantes e discussões inúteis com os nossos filhos. Podemos negligenciar o bem-estar físico, emocional e espiritual de nossos filhos. Podemos refletir sobre nossas vidas mil vezes por dia (e noite) e ainda assim resistir colocá-las a serviço dos outros.

Podemos até mesmo servir muito bem os outros, mas murmuramos o tempo todo que nossos filhos e marido não estão aplaudindo o suficiente para parabenizar nossos esforços.

A humildade de Jesus redefine nossas ideias mundanas sobre o que significa servir os outros. Ele nos deu um novo mandamento: "Novo mandamento vos dou: que vos ameis uns aos outros; assim como eu vos amei, que também vos ameis uns aos outros" (Jo 13.34). Precisamos ser redimidos e aperfeiçoados pela graça de Deus. Precisamos nos submeter ao Salvador que pode quebrar nossa escravidão de servir e adorar a nós mesmos. Quando uma mãe confia, pela fé, na morte expiatória de Cristo, ela vê a morte de seu pecado na morte de Cristo. "Agora, pois, já nenhuma condenação há para os que estão em Cristo Jesus. Porque a lei do Espírito da vida, em Cristo Jesus, te livrou da lei do pecado e da morte" (Rm 8.1-2).

A mãe cujo pecado foi sepultado com Cristo na sua morte foi levantada para uma nova vida na sua ressurreição. Ela agora é uma escrava da justiça (Rm 6.18). Ela tem uma nova canção para cantar – um refrão que ecoará ao longo de seus dias e noites – uma canção sobre o amor redentor.

NUNCA FAÇA SACRIFÍCIOS

Um dos meus heróis missionários é David Livingstone, um homem que passou a maior parte de sua vida perseverando em meio a dificuldades extraordinárias pela causa do evangelho na África. Costumo me lembrar do seu exemplo de perseverança e fé quando estou em cenários do tipo "acho que poderia ser pior". Mas não é por isso que Livingstone me encoraja tanto. A fé robusta não é forjada por considerar quão mais agradáveis minhas circunstâncias terrenas são quando comparadas com as de outra pessoa. "Sempre poderia ser pior" não pode sustentar o meu frágil coração. Somente a esperança na fidelidade duradoura de Deus é uma garantia inquebrável. Meu coração é fortalecido ao considerar que nós temos o mesmo Pai celeste, somos salvos pelo mesmo Jesus, somos habitados pelo mesmo Espírito Santo e nos alegramos no mesmo evangelho. Se Deus sustentou esse homem santo, então ele também pode me sustentar.

Então, o que essa história sobre um missionário na África tem a ver com maternidade e sacrifícios? Livingstone fez um discurso na Universidade de Cambridge que moldou a forma como eu penso sobre a maternidade. Ele não estava falando especificamente sobre maternidade; ele estava falando sobre ter uma perspectiva eterna e sobre o seu papel como missionário. Quando leio suas palavras, não posso deixar de pensar sobre como os mesmos princípios estão trabalhando na minha vida de mãe, cuja esperança está no evangelho. Livingstone disse:

> Da minha parte, nunca deixei de me alegrar por Deus ter me nomeado para tal ofício. As pessoas falam do sacrifício que fiz em gastar tanto tempo da minha vida na África... Mas será que é um sacrifício aquilo que traz sua própria abençoada recompensa na atividade saudável, na consciência de fazer o bem, na paz de espírito e na brilhante esperança de um destino glorioso depois daqui? Fora tal visão e tal pensamento! Esse não é enfaticamente nenhum sacrifício. Mas sim, um privilégio. Quando abdicamos das conveniências e caridades comuns dessa vida, a ansiedade, a doença, o sofrimento ou o perigo

> pelos quais eventualmente passamos podem nos fazer parar ou fazer com que o nosso espírito vacile e a nossa alma afunde; mas isso é só por um momento. Tudo isso não é nada quando comparado à glória a ser revelada em nós e para nós. *Nunca fiz um sacrifício.*

Certamente mães fazem sacrifícios pelos seus filhos de mil maneiras diferentes a cada dia. Mas precisamos definir e avaliar essas coisas com uma perspectiva eterna. Como Livingstone, devemos perguntar: Será que esse serviço pelo meu filho que traz sua própria recompensa no bem-estar dele, na consciência de servir Deus, na paz de espírito e na brilhante esperança de um destino glorioso é um sacrifício? Falando de outra maneira, quando uma mãe triunfa por meio do evangelho, sua brilhante esperança em Jesus ofusca *qualquer* ganho terreno que ela poderia ter tido ao optar por fazer qualquer serviço que não fosse mostrar o amor sacrificial de Jesus ao seu filho.

Então, quando consideramos o chamado, o trabalho e os sacrifícios da maternidade através dessa visão, com emoção em nosso coração, podemos dizer que nunca fizemos um sacrifício.

AMANDO OS SEUS FILHOS PARA A GLÓRIA DE DEUS SOMENTE

Também é possível que obras feitas em nome do amor por um filho possam revelar como nossos corações são como fábricas de ídolos. Tremo só de pensar em quantas vezes justifico a minha autoadoração sob o pretexto de "porque eu amo os meus filhos", e elevo a mim ou a meus filhos à posição de Deus. Eu valorizo muito meus filhos e minhas preferências na criação deles, e valorizo pouco Deus. Essa continua sendo uma enorme tentação para mim, visto que caio nessa armadilha do ego o tempo todo, e é por isso que sou tão grata pela forma como o evangelho me liberta de buscar a minha glória na criação de filhos ou em meus próprios filhos. Meus filhos, embora não possam articular isso ainda, ficam aliviados quando eu valorizo Jesus, porque assim eles estão livres do fardo de serem o centro do meu mundo. Nenhuma criança deveria ter que arcar com o peso da glória e da reputação de sua mãe.

Toda mãe pode ser liberta de buscar sua própria glória ao amar seus filhos para que o nome de Jesus seja proclamado entre as nações. Talvez a correção mais pertinente que já recebi à luz dessa tentação tenha sido o que Jesus disse a Paulo sobre a vanglória: "Ele me disse: A minha graça te basta, porque o poder se aperfeiçoa na fraqueza. De boa vontade, pois, mais me gloriarei nas fraquezas, para que sobre mim repouse o poder de Cristo" (2Co 12.9). Será que quero que o poder de Cristo repouse sobre mim enquanto crio os meus filhos? Sim, por favor! Então preciso de Jesus para me livrar do meu desejo de ser adorada por minha maternidade. Preciso confessar minhas fraquezas para que eu possa estimar o poder de Cristo.

A soberana graça de Deus me liberta da preocupação de estar fazendo um trabalho ao acaso de orquestrar a vida de meus filhos por eles. O evangelho me lembra de que os planos de uma mãe não são finais; os de Deus são. Deus foi quem criou essas crianças, e ele tem muito mais "intenções intencionais" para glorificar a si mesmo por meio dessas crianças do que eu poderia sonhar. Deus fez essas crianças para si – por amor do seu nome.

Cada mitocôndria em seus pequenos corpinhos existe para a glória de Deus. O Senhor conhecia o destino dos nossos filhos antes de o espermatozóide encontrar o óvulo. Ele comanda o seu destino desde antes da fundação do mundo. Ele conhece o número de seus dias e nenhuma parte de sua história o surpreende. Ele é o Deus a quem queremos confiar nossos filhos ativamente e diariamente. O Senhor soberano do universo merece o nosso reconhecimento cheio de fé de que nossos filhos são propriedade dele. Todos nós pertencemos ao nosso Criador. Quando pensamos que os nossos filhos existem para servir nossos egos, somos distraídos de nosso propósito primário de servir nossos filhos ensinando-lhes quem Deus é e como eles existem para desfrutar dele. Ao valorizarmos Cristo como a coisa mais importante de nossas vidas, agimos com abnegação, serviço ao próximo, perdão de pecados e graça estendida, e isso serve de ilustração para os nossos filhos de como Deus é digno de ser visto, admirado e revelado como a maior esperança que poderíamos ter. Jesus é aquele que nos ama acima de todos com seu amor redentor.

7

Mamãe nem Sempre Sabe o que é Melhor

Mesmo se uma mãe não for seletiva, ela terá que fazer escolhas. Certa noite, na hora de dormir, minha filha mais velha se aproximou de mim com um plano para o cardápio do dia seguinte: "Mãe, eu tenho uma ótima ideia. Que tal amanhã no café da manhã comermos cereal. Então, no almoço, comemos manteiga de amendoim e sanduíches de geleia com batatas fritas. E no jantar, comemos aquela sobra de sopa que você fez para hoje".

Isso soou como um plano maravilhoso para mim, então eu disse: "Olha só, me parece ótimo".

Ela acrescentou uma dica: "E, mamãe, você talvez queira anotar isso tudo. Talvez eu pudesse desenhar imagens ao lado de cada coisa. Então você não irá esquecer que nós conversamos sobre isso, e não terá que pensar sobre isso amanhã".

Minha filha me conhece muito bem. Planejamento de cardápio e compras de supermercado são um obstáculo doméstico para mim, então eu realmente aprecio sua sugestão.

Parecia que eu havia acabado de descobrir como cozinhar para dois quando nossa primeira filha nasceu. Então, quando pensei que havia resolvido como gerenciar as refeições para a nossa pequena família, nós nos mudamos para o exterior. Troquei onças por gramas, dólar por *dirham*, abobrinha por tutano, granola por *muesli*, carne moída por picadinho, e assim por diante. No primeiro ano em que moramos fora, o supermercado me deixava tonta (e muitas vezes chateada) com todas as formas estrangeiras de comprar e os novos alimentos que não tinham tabelas nutricionais.

As decisões sobre a forma de alimentar nossa família, de repente, tornaram-se complexas e desconcertantes. Havia tanta coisa que eu tinha que aprender, que isso acabava comigo.

O FARDO DAS DECISÕES

Acho que muitas de nós nos sentimos sobrecarregadas quando nos tornamos mães. Sentimo-nos sobrecarregadas com decisões antes mesmo de o bebê chegar. Qual vitamina pré-natal eu deveria tomar? Como faço para escolher um obstetra ou uma parteira? Qual é o melhor caminho para adoção? Queremos saber o sexo do bebê? Estamos abertos a adoções inter-raciais ou internacionais? Devo parar de trabalhar? Quando devo sair do meu emprego? Como é que vamos chegar a um acordo sobre o nome do bebê?

Se você embarcou nessa jornada sem saber de tudo isso, então esse aspecto da maternidade de ter que tomar decisões provavelmente caiu em você como uma tonelada de massinha de modelar. Talvez você tenha ficado chocada pela forma como as suas escolhas pessoais pareciam rotular você como uma "mãe-_____". Você talvez tenha ficado surpresa ao descobrir valores que nem imaginava que possuía. Você, sem dúvida, deve ter se entristecido ao ser confrontada com críticas que não sabia que receberia. E é de se esperar que você tenha tido alegria ao compartilhar pontos em comum com novos amigos.

Certamente não faltam decisões a serem tomadas por uma mãe no curso de um dia. Nossas escolhas variam de temporais a longo prazo. Onde uma mãe pode encontrar sabedoria? A decisão mais importante que uma mãe pode tomar a cada dia é temer o Senhor e buscar a sua sabedoria. Tiago 1.5 diz: "Se, porém, algum de vós necessita de sabedoria, peça-a a Deus, que a todos dá liberalmente e nada lhes impropera; e ser-lhe-á concedida". Essa sabedoria do Senhor não é uma busca trivial ao acaso de versos da Bíblia em que você folheia as páginas da Palavra de Deus até que os seus olhos parem em algo que parece bom para você. A sabedoria de Deus é adquirida ao pedir-lhe isso, e sua sabedoria é demonstrada mais profundamente no presente que é o seu Filho. A cruz de Jesus Cristo é a sabedoria de Deus que confunde a sabedoria da época. Não há sabedoria mais profunda ou mais relevante que se poderia compartilhar do que temer o Senhor e adorar ao Deus-homem Jesus Cristo.

A tirania das decisões urgentes é ilusória. Muitas vezes achamos que a decisão mais importante que precisamos tomar em um dia é sobre a atividade extracurricular do nosso filho ou se devemos dar a chupeta ao bebê. Contudo, o que impacta muito mais as nossas vidas diárias é o fato de estarmos buscando o Senhor em sua Palavra e através da oração, para que ele possa nos encher com o conhecimento da sua vontade em toda a sabedoria e entendimento espiritual. Mais relevante do que nossas escolhas ou estratégias maternais é o fato de estarmos caminhando de maneira digna dele, agradando-o, frutificando em toda boa obra e crescendo no conhecimento de Deus (Cl 1.9-10).

FALTA SABEDORIA A TODAS NÓS

Quando eu era uma mãe novata, uma amiga mais velha me deu um bom conselho: "Assim que você desvendar uma etapa, outra começa. Então, não fique muito obcecada com os detalhes". Acho que o que ela disse foi muito útil, especialmente para alguém como eu que se sente desconfortável com as incertezas da maternidade.

Além da falta de sabedoria devido à nossa inexperiência, temos um problema mais profundo. Nosso pecado nos induz a trabalhar para sermos independentes de Deus. Não desejamos sua sabedoria. Paulo diz em Romanos 7.18: "Porque eu sei que em mim, isto é, na minha carne, não habita bem nenhum, pois o querer o bem está em mim; não, porém, o efetuá-lo". Mesmo quando sabemos que precisamos buscar a sabedoria de Deus, temos que lutar contra a nossa carne, que se opõe à bondade de Deus. Somos pecadores natos; longe de Cristo somos intolerantes à santidade.

O puritano Thomas Watson disse: "Até que o pecado se torne amargo, Cristo não será doce". Acho que o pastor escocês Thomas Chalmers, que pregou sobre "o poder expulsivo de uma nova afeição", teria acrescentado: até que Cristo se torne doce, o pecado não será amargo.

Nossa afeição equivocada pelo pecado precisa ser expulsa do trono em nosso coração por um poder superior. Precisamos de um novo coração. Nossas afeições santas precisam ser conduzidas através da habitação do Espírito Santo, que inclina o nosso coração para amar Jesus e para ser atraído por sua santidade. Nada menos que isso é suficiente. "Não conheço nenhum outro caminho para o triunfo sobre o pecado de longo prazo do que ganhar um desgosto por ele por causa de uma satisfação superior em Deus."[11]

Não podemos simplesmente mudar a nossa carne e o nosso amor pelas coisas do mundo criticando todas as maneiras pelas quais ficamos decepcionadas com o nosso pecado ou o mundo. Talvez você já tenha notado como é ineficaz reclamar com suas amigas sobre quaisquer decepções que você tenha tido com a maternidade. Simplesmente discutir sobre essas decepções não provoca em nós um senso da esperança em Deus. Remoê-las é uma cura incompleta e, em última análise, inútil para os males do coração. Esse tipo de atitude não é mais distintamente cristão do que o hedonismo de uma mãe que idolatra sua maternidade.

A profundidade da nossa depravação e a inclinação do nosso coração para se justificar significam algo importante. Significam que apenas lamentar a corrupção do mundo é uma maneira incompetente de resgatar e recuperar o nosso coração cativo de afeições erradas. Nosso coração precisa ser redimido por Jesus e feito novo.

O poder superior da afeição e devoção a Jesus pode fazer o que nenhuma lamentação do mundo ou das bênçãos que Deus nos dá, como a maternidade, poderia fazer. Simplesmente mostrar como você, por exemplo, constantemente cai em determinadas armadilhas e ciladas não é suficiente. Você precisa introduzir uma afeição maior à alma, uma que seja "poderosa o suficiente para livrar a primeira de sua influência".[12] Essa afeição maior deve ter a capacidade de satisfazer o coração como nada mais. É como quando você prova o *cheesecake* caseiro estilo nova-iorquino, que não se compara a nenhuma mistura de *cheesecake* de caixinha. Essa afeição mais excelente é o que torna todas as tentações e ídolos patéticos, ridículos e banais.

COMO PODEMOS AMAR A SABEDORIA?

Quando os bebês começam a comer alimentos sólidos, tomamos muito cuidado para alimentá-los com comidas nutritivas que sejam apropriadas à idade deles. Atentamos para a textura, temperatura e quantidade porque os bebês não sabem como fazer isso por si mesmos.

Como você está se alimentando espiritualmente? Você está faminta pela sabedoria de Deus? Você almeja a Palavra de Deus acima de todas as informações, notícias e atualizações de status que estão disponíveis para você? Todos os dias nos deparamos com a tentação de nos questionarmos sobre "como fazer" qualquer coisa e levamos isso ao extremo. Em si mesmos, as dicas, os guias práticos e sites para as mães são muito úteis. Precisamos de ajuda prática. Acabei de verificar o histórico de pesquisa no meu navegador e nas últimas 48 horas procurei respostas para sete perguntas práticas de "como fazer".

Mas me esforçar para aprender coisas práticas para a vida não é o meu problema. Meu maior problema é que vivo sob a ilusão de que posso fazer qualquer coisa por esforço próprio enquanto digo, da boca para fora, que preciso da sabedoria de Deus. Meu coração precisa entender que não posso fazer nada graciosamente para a glória de Deus sem a orientação e ajuda do Espírito Santo. A doutrina bíblica a esse respeito sustenta o meu coração com a verdade de Deus e me dá a sabedoria que preciso para entender que o meu maior problema não é fazer muitas coisas ao mesmo tempo, ou a falta de experiência com a maternidade ou com a vida doméstica. Mães que nutrem sua alma com a Palavra de Deus prosperam à medida que seus corações são ensinados pela sabedoria de Deus.

Listas de tarefas são ótimas ferramentas, mas elas têm o seu lugar subordinado à sabedoria de Deus. Tendemos preferir listas de coisas a fazer quando se trata de questões difíceis sobre as quais devemos tomar decisões. "Apenas me diga o que fazer!" Ouço isso muitas vezes quando aconselho mulheres que sentem que estão entre a cruz e a espada. A Teologia tem muito a contribuir para a mãe que toma decisões – difíceis ou fáceis. A Teologia é onde a prática começa. Olhe para a Escritura!

> O temor do SENHOR é o princípio da sabedoria, e o conhecimento do Santo é prudência. (Pv 9.10)

> E disse ao homem: Eis que o temor do Senhor é a sabedoria, e o apartar-se do mal é o entendimento. (Jó 28.28)

> O temor do SENHOR é o princípio da sabedoria; revelam prudência todos os que o praticam. O seu louvor permanece para sempre. (Sl 111.10)

> O temor do SENHOR é a instrução da sabedoria, e a humildade precede a honra. (Pv 15.33)

Escrevo com a autoridade de uma mulher que nutriu a alma com muita besteira e sofreu de dolorosas cáries espirituais. Conselho espiritual que tem "calorias vazias" ou é desprovido da rica doutrina bíblica não pode e não irá satisfazer uma alma que foi feita para ser satisfeita apenas com um Deus infinito. "Provai e vede que o SENHOR é bom; bem-aventurado o homem que nele se refugia" (Sl 34.8). Precisamos humildemente abrir nossos corações antes de abrir os sites de busca à procura de respostas. O Salmo 34.18 diz: "Perto está o SENHOR dos que têm o coração quebrantado e salva os de espírito oprimido". Deus, nosso sábio Pai, livremente dá sabedoria a qualquer um dos seus filhos que lhe pedir (Tg 1.5). Ele nos dá sua sabedoria e nos satisfaz com ele mesmo, a fim de nos salvar de vagar pelo deserto e morrer de desidratação espiritual.

Jesus é a sabedoria de Deus. Sua cruz é a mais profunda expressão de sabedoria que o Santo Deus já demonstrou. A obra expiatória do Cordeiro de Deus confunde a sabedoria da nossa era. Por meio de sua morte na cruz, Jesus nos leva direto ao nosso Pai através de si mesmo – o único mediador entre Deus e o homem. Jesus nos oferece a si mesmo e sua sabedoria livremente:

> Ah! Todos vós, os que tendes sede, vinde às águas; e vós, os que não tendes dinheiro, vinde, comprai e comei; sim, vinde e comprai, sem dinheiro e sem preço, vinho e leite. Por que gastais o dinheiro naquilo que não é pão, e o vosso suor, naquilo que não satisfaz? Ouvi-me atentamente, comei o que é bom e vos deleitareis com finos manjares. Inclinai os ouvidos e vinde a mim; ouvi, e a vossa alma viverá. (Is 55.1-3)

Seguir Cristo, amar Cristo e obedecer a Cristo são, sem dúvida, as decisões mais importantes que qualquer mãe poderia tomar. E o seguir adiante com essas decisões deve acontecer dia após dia.

8

As Boas-Novas nos Dias Maus

Não todos os dias, mas em alguns dias, a hora da soneca demora a chegar, porque quem está tendo a crise da tarde é a mamãe. Lembro-me de um dia em que os meus filhos mais velhos estavam passando por um ciclo repetitivo de lamentação e agitação, e eu perguntei em voz alta: "Quando é a vez de a mamãe ficar chateada?" Um deles realmente parou e respondeu pensativo: "Tudo bem, mamãe. Pode ser a sua vez. É justo".

Até mesmo as mães que não têm feito "birras" há algum tempo podem se identificar com a sensação de que já aguentaram o suficiente quando chegam ao final do dia cansadas, emocionalmente esgotadas e irritadas. Para muitas de nós, a frustração decorre das expectativas irracionais que temos para nós mesmas. Em vez de sentirmos o doce alívio e a satisfação que vêm de um longo dia de trabalho árduo e bom, remoemos os erros, as oportunidades perdidas e os pontos negativos. "Não há mães perfeitas", nós dizemos, mas morreremos tentando provar que podemos ser a exceção.

Outras mães são sobrecarregadas com a logística da própria vida. Essa foi uma frustração na qual me afundei quando mudamos para o exterior, em uma fase difícil durante a minha segunda gravidez e com o agravamento da deficiência física do meu marido. A vida em si parecia impossível, quanto menos uma vida transbordando de alegria. Foi durante esse tempo que me convenci de que clichês de encorajamento sobre a vida são como fraldas baratas. Somente o evangelho pode fazer sua fé perseverar em meio a uma crise espiritual. Muito frequentemente nos contentamos em jogar bastões luminosos de clichês na escuridão das nossas dúvidas. Mas sua luz e conforto desaparecem rapidamente.

Talvez os sentimentos mais temerosos em meio a essas frustrações venham de um pensamento sombrio em particular. É uma mentira na qual somos tentadas a acreditar. Esta ideia tem mais a ver com carma do que com graça: suspeitamos que, dependendo de como foi o dia, essa é forma como Deus se sente a nosso respeito.

APENAS SE DAR UMA FOLGA É SUFICIENTE?

Qual é a nossa esperança quando uma inundação de frustrações domésticas ameaça nos arrastar para o mar do desânimo? É que essa é apenas uma fase que passará?

Talvez você seja a mãe frustrada ou a mãe que está buscando encorajar outras donas de casa desesperadas. O cotidiano das mães ao redor do mundo é diferente, mas a nossa esperança é a mesma. Todas nós precisamos experimentar a realidade concreta de uma esperança que é para todas as fases e jamais passará. Mães frustradas e donas de casa desesperadas têm um problema que vai muito além da nossa necessidade de uma pausa na rotina diária, embora o descanso físico seja uma necessidade diária.

Negar que temos dias maus só funciona até o próximo dia mau chegar. Apenas nos dar uma folga de vez em quando não nos manterá descansadas a longo prazo.

O que todas nós precisamos é ser resgatadas do nosso pecado pelo Filho, que foi separado do Pai ao tomar sobre si o nosso pecado, para que pudéssemos ser unidas a Deus por meio de sua graça para sempre. O que precisamos ver é a luz do conhecimento da glória de Deus na face de Jesus Cristo brilhando em nosso coração (2Co 4.6).

Somente a luz resplandecente do evangelho pode dissipar as nossas dúvidas sombrias e iluminar o pecado do qual precisamos nos arrepender. Por meio da luz do evangelho, vemos como a bondade de Deus nos leva ao arrependimento. E, por sua graça, Deus sujeita nossas circunstâncias de frustração aos seus propósitos em nossa vida. Deus usa essas situações para nos fazer crescer na semelhança de Cristo, repugnar o nosso pecado e ensinar o nosso coração a ansiar pela graça futura. Amo o que Ed Welch disse sobre a esperança na graça futura de

Deus: "Seu futuro inclui maná. Ele virá. Não faz sentido elaborar cenários futuros agora porque Deus fará mais do que você imagina. Quando você entende o plano de Deus da graça futura, você tem acesso àquilo que é, sem dúvida, o remédio mais potente de Deus contra a preocupação e o medo".[13]

À medida que fazemos nosso trabalho de casa, precisamos ver com os olhos do nosso coração que Cristo é a justiça de todo aquele que crê (Rm 10.4). Isso significa que nós não tentamos lavar ou consertar os trapos da nossa justiça própria, como se eles nos recomendassem a Deus. Jesus é a nossa recomendação. Não polimos nossos troféus de realização doméstica como se eles nos dessem confiança diante do trono de Deus. Cristo é a nossa confiança. É como Jerry Bridges disse em seu livro *The Discipline of Grace*: "Seus piores dias nunca são tão ruins a ponto de você estar além do alcance da graça de Deus. E seus melhores dias nunca são tão bons a ponto de você estar além da necessidade da graça de Deus".[14]

Cristo é a nossa justiça, e ele é o mesmo ontem, hoje e sempre (Hb 13.8). Por isso, não nos atrevamos a colocar nossa confiança no melhor dia de todos ou na mais doce das emoções; também não devemos tremer de medo porque tivemos o pior dia de todos e a mais amarga das atitudes.

Deleitemo-nos em Jesus que se tornou para nós sabedoria de Deus, nossa justiça, santificação e redenção (1Co 1.30). Nosso deleite em Jesus transborda em louvor, e o Espírito produz o seu fruto em nossas vidas para que Deus receba a glória.

"TEMPO DE NECESSIDADE?"
ISSO É O TEMPO *TODO* NA MINHA CASA!

Mães frustradas e donas de casa desesperadas podem aproximar-se do trono da graça de Deus todos os dias. Não temos que esperar até o próximo dia mau. Jesus, nosso Sumo Sacerdote, está à direita do Pai intercedendo por nós, pecadores impotentes que confiam no sacrifício que ele fez na cruz em nosso lugar. "Assim sendo, aproximemo-nos do trono da graça com toda a confiança, a fim de recebermos misericórdia e encontrarmos graça que nos ajude no momento da necessidade" (Hb 4.16, NVI).

Uma amiga minha uma vez comentou: "Tempo de necessidade? Isso é o tempo *todo* na minha casa!" Não há melhor momento do que o tempo todo para ousadamente pedirmos a Deus por misericórdia e graça. Seu Pai cuida de você, Jesus não a abandonou, e o Espírito traz segurança ao nosso coração (Rm 5.5).

O Senhor é o seu pastor? Ele não deixará você desprovida. Deus nos dá essa mordomia da graça segundo as suas riquezas na glória em Cristo Jesus, e ele nos capacita a fazer o que nos chamou para fazer. Todos os dias!

A maternidade é um trabalho desgastante fisicamente e que nos esgota emocionalmente. Onde uma mãe pode encontrar a força de que precisa para servir a sua família? De Deus, que "pode fazer-vos abundar em toda graça, a fim de que, tendo sempre, em tudo, ampla suficiência, superabundeis em toda boa obra" (2Co 9.8). Mesmo quando as nossas costas desistem, e o nosso corpo está cansado, Deus pode fortalecer as mães "com todo o poder, segundo a força da sua glória, em toda a perseverança e longanimidade; com alegria" (Cl 1.11). Ação de graças é a resposta apropriada a Deus, uma vez que ele estende a todas nós a herança da graça que temos em Cristo (Cl 1.12).

Assim, embora você esteja sem fôlego com todo o trabalho árduo, você *está* respirando – o que é um motivo de louvor! Quando você se sentir desesperada por alívio, isso é um lembrete de que você está desesperada pela graça de Deus. Agradeça ao Senhor pela bênção de sentir necessidade dele. Você sabe onde está exatamente agora? Você pode estar lendo este livro em seu carro enquanto espera para pegar seus filhos na escola. Mas você sabe onde você está? Você foi ressuscitada com Cristo? Você está em Cristo, sentada nos lugares celestiais com ele. Então, coloque a sua mente nas coisas que são de cima, onde Cristo está (Cl 3.2). Você pertence a ele, que ressuscitou dentre os mortos? Frutifique para Deus (Rm 7.4). Quando o seu dia for difícil demais para você aguentar, e as coisas parecerem estar girando fora de controle, respire fundo e lembre-se: "O nosso Deus é o Deus libertador; com Deus, o SENHOR, está o escaparmos da morte" (Sl 68.20). Há promessas compradas pelo sangue que são suas para ajudá-la nesses momentos específicos. Cada dia que o sol nasce e se põe nos serve de lembrança de que virá um dia quando a vontade de Deus será feita tanto na terra quanto no céu. De todas essas formas e muitas outras, mães podem receber o reino de Deus mesmo em meio às suas vidas atarefadas.

MELHOR DO QUE MAIS UM BEIJO DE BOA NOITE

Todos que em nossa casa têm menos de 1,20 metro de altura tendem a ficar um pouco doidos por volta das 19 horas. Uma sábia amiga me lembra frequentemente de que dias estão vindo em que o quadro mudará. Algum dia eu terei que convencer meus filhos a acordar e sair de suas camas. Esses dias parecem muito distantes.

Crianças pequenas tendem a se sentir mais vulneráveis à noite. É escuro lá fora, a atividade da casa está sendo encerrada, e elas ouvem o refrão "sem mais" da hora de dormir: sem mais copos com canudinho, sem mais lanches, sem mais jogos, sem mais brinquedos, sem mais cambalhotas.

E então é a deixa para a resposta "só mais um" do coro: Só mais um livro? Só mais um gole de água? Só mais um abraço? Só mais um beijo de boa noite?

Pela graça de Deus, o fruto da paciência e mansidão do Espírito Santo cresce e amadurece nesses momentos. Deus recebe a glória por me dar a força que preciso para ser gentil com os meus filhos quando estou apressada ou irritada no final de um dia muito longo. *E*, nos momentos em que deixo o fruto do Espírito apodrecer por causa da minha pecaminosidade, o Senhor me dá a graça que preciso para me desculpar com os meus filhos pela minha pressa, insensibilidade e palavras grosseiras. A horas de dormir é uma experiência de amadurecimento para todas nós. Eu asseguro meus filhos da minha presença. "A mamãe só vai para a sala, e depois vou dormir no meu quarto. Eu estou aqui." Eu deixo lembretes e coisas para ajudá-los a dormir: "Aqui está o xerife e o astronauta do Judson, aqui está o travesseiro rosa da Aliza, e aqui está o unicórnio da Norah – e ursinhos, e pulseiras, ah, e bonecas. Deixei a música de vocês programada, e a luz do banheiro está acesa caso precisem ir até lá".

Eu lhes dou carinho extra para mostrar a eles que os amo: "Mais um beijo para você, e você, e você. E mais um abraço para você, e você, e você".

Mesmo assim, os suspiros e protestos podem aumentar. Repito um último verso como um lembrete da presença de Deus e de seu cuidado paternal por eles: "Vocês podem dormir em segurança porque o Senhor nunca dorme, e ele está cuidando de vocês. Até mesmo a escuridão é como a luz do dia para ele, de forma que ele sempre pode ver vocês. Se vocês se sentem ansiosos, então orem a Deus e lhe digam tudo sobre isso, porque ele os ama muito e pode ajudá-los".

Mas, por fim, tenho que sair. Tenho que dar-lhes um último beijo, dizer um boa noite final e fechar a porta do quarto. O que meus filhos achariam muito melhor do que todas essas garantias externas do meu amor e cuidado por eles? Uma presença interna, permanente. Em seu quarto, especificamente: "Mamãe, por que você não fica mais tempo? Ou dorme no nosso quarto?" Eles se sentem mais seguros com a minha presença constante.

Essa cacofonia na hora de dormir é um vislumbre da graça que me faz lembrar de que parte do ministério do Espírito Santo na minha vida é acalmar meus medos ansiosos, e me dar paz e segurança quando me sinto insegura em relação ao cuidado e amor de Deus.

A separação da nossa alma para Deus é um trabalho eficaz e incontestável do Espírito. Por várias razões, há momentos em que os crentes não se sentem particularmente perto de Deus, mas nós permanecemos em Cristo por causa da presença interior do Espírito Santo. O Espírito Santo não tolera nenhum "colega de quarto" quando passa a habitar em você. Ele nunca pode receber um aviso de despejo; sua locação é permanente. Comecei a apreciar mais essa garantia ao refletir sobre os testemunhos de crentes em Cristo que haviam sido previamente influenciados ou possessos por espíritos imundos. Mortos em suas transgressões e submetidos às vontades dos espíritos imundos, esses homens e mulheres se comportavam de acordo com o caráter impuro e ímpio do espírito que ocupava a "casa" deles. Quando o Espírito Santo passou a residir neles permanentemente, eles foram selados para sempre. Da mesma forma, se você está em Cristo então a presença do Espírito é a sua garantia de que você está selado e marcado para o Pai celestial para sempre. O Espírito é Deus, e a sua obra eficaz e inalterável é uma realidade objetiva que não pode ser negada nem confirmada por suas emoções subjetivas (Ef 1.13-15), nem ameaçada por nenhum espírito imundo.

Certamente, nossos corações são encorajados pelas lembranças e evidências que vemos do amor de Deus por nós em todas as coisas ao nosso redor. Vemos a graça comum de Deus, sua divina providência e muito mais!

Mesmo quando sentimos que estamos enlouquecendo por causa deste ou daquele sentimento de incerteza ou vulnerabilidade, podemos desfrutar da segurança interna e permanente que recebemos do Espírito Santo (Is 59.21), que derrama o amor de Deus em nosso coração. Veja quanta coisa Deus fez a fim de que o nosso coração inseguro pudesse ser confortado pelo seu amor!

Com essa perspectiva sobre a nossa verdadeira esperança e a fonte do nosso conforto, podemos ver o brilho da oração de Paulo e pedir ao Senhor que faça o mesmo por nós: "Ora, o Senhor conduza o vosso coração ao amor de Deus e à constância de Cristo" (2Ts 3.5).

A "Mãe do Ano"

Certo ano, no Natal, eu acidentalmente joguei fora o biscoito que minha filha havia meticulosamente decorado. Ela ficou tão chateada comigo que eu ouvi sobre o incidente do biscoito até bem depois do Ano Novo. Suponho que, ao mesmo tempo que me atrapalhei jogando o biscoito no lixo, também joguei fora minha indicação para Mãe do Ano.

É claro que não existe uma premiação real de "Mãe do Ano", mas falamos isso como se fosse uma brincadeira divertida. A realidade, porém, é que toda mãe falha em refletir perfeitamente a imagem de Deus em sua maternidade. O que não parece tão divertido é o sentimento de culpa que experimentamos quando consideramos sinceramente nossas deficiências.

E OS NOMEADOS NÃO SÃO...

Que mãe não é atormentada por seus sentimentos de inadequação e culpa sobre os seus erros? Uma amiga me disse que sempre evita reuniões de mães porque se sente esmagada com toda a "perfeição" que ela vê. É possível simpatizar-se com os sentimentos dela. Imaginar uma sala cheia de pessoas cujas apresentações de vida trazem à tona nossos sentimentos de insegurança e culpa faria até mesmo a pessoa mais confiante se sentir constrangida.

Aquelas de nós que raramente ficam inseguras também sentem naturalmente a dificuldade em corresponder à santidade de Deus. E com razão. O Senhor graciosamente nos criou com uma consciência que testemunha essa ideia – nenhuma de nós é "boa" pelos padrões de Deus.

Mesmo que não tenhamos cometido erros graves dos quais estejamos cientes, não precisamos olhar muito profundamente o nosso coração para descobrirmos nossa pecaminosidade. Usamos nossos filhos para encher o nosso ego e parecermos boas. Criticamos outras mães a fim de aliviar nossos sentimentos de insegurança. Deixamos de amar nossos filhos com amor altruísta e sacrificial. Negligenciamos nossos filhos em nome do ministério. Quebramos comunhão com nossas irmãs cristãs por causa de questões mesquinhas sobre preferências de criação de filhos. Damos mau exemplo e ensinamos nossos filhos a valorizarem mais a opinião do mundo do que a de Deus. E essas são apenas algumas das maneiras que falhamos em viver de forma justa.

Há também outros padrões impossíveis que *nós* inventamos e aos quais nos apegamos. Sentimos vergonha de projetos que começamos e não terminamos. Sentimo-nos culpadas por nossos filhos não estarem "se saindo" como tínhamos planejado. Tropeçamos na armadilha do "temor do homem" e vivemos para a aprovação de outras mães. Ficamos com raiva dos sonhos de perfeição materna que poderiam ter acontecido. Somos nossas críticas mais severas, aplicando punição para crimes contra os nossos frágeis egos. Olhando para essa lista, percebo que não foi muito difícil chegar até ela; estou bem familiarizada com essas questões. Quando olho para a minha trajetória de mãe, há mais coincidências felizes e fracassos do que fantásticas proezas de fé.

Que esperança tem uma mãe imperfeita?

Contra o pano de fundo desse panorama desolador, o evangelho brilha mais forte e dá uma esperança mais durável que as promessas vazias de autorrealização e o encorajamento de curta duração do otimismo do copo-meio-cheio. O evangelho muda a forma como vemos os nossos fracassos, e vemos como Deus redime nossas falhas para a sua própria glória. Deus libertou a mãe cristã do domínio das trevas e a transferiu para o reino do seu Filho amado, em quem ela tem redenção e perdão dos pecados (Cl 1.13). No evangelho, ouvimos sobre como temos graça para hoje e esperança resplandecente para o amanhã.

O evangelho da graça diz que Deus aceita você em Cristo, e, então, ele lhe dá a posição justa de seu filho como um presente por meio da fé. Não nos tornarmos santos primeiro para que, então, Deus nos aceite. Nossa posição em Cristo permite que tenhamos acesso a uma série de alegrias que transformam a nossa maternidade. Entre essas alegrias está experimentar o poder incomparável da habitação do Espírito Santo para resistir à tentação e fugir do pecado. Mas, antes de chegarmos a isso, vamos celebrar o quão firme a nossa fundação da justificação pela fé realmente é.

A CRUZ REVELOU TODA A NOSSA ROUPA SUJA

Levantamo-nos para nos defender de coisas mesquinhas. Retratamo-nos sobre coisas tais como quanto pagamos por algo, por que uma criança respondeu de uma determinada maneira ou por que a bancada da cozinha está uma bagunça. Também justificamos coisas que são um grande problema – como o nosso pecado. Vestimos a máscara da autojustiça para encobrir o mal escabroso em nosso coração. Esfregamos nossa consciência culpada com os trapos sujos de nossas boas obras.

> Todos nós somos como o imundo, e todas as nossas justiças, como trapo da imundícia; todos nós murchamos como a folha, e as nossas iniquidades, como um vento, nos arrebatam. (Is 64.6)

A Bíblia diz que fingir que não temos pecado é inútil, porque a cruz já anunciou ao mundo quão culpados nós somos.

Precisamos de um Salvador, não de um guru de autoajuda. Nossa "roupa mais suja" já foi revelada. Nosso pecado ofendeu um Deus infinitamente santo, de forma que foi necessária a morte do Filho perfeito de Deus para nos resgatar do castigo eterno que merecemos. É por isso que Jesus morreu em nosso lugar na cruz. A graça que nos foi dada por meio da cruz nos liberta do pesado fardo da pretensão diante dos outros e (o mais importante) diante de Deus.

Por meio do evangelho, Deus faz algo melhor para nós do que simplesmente negar a nossa culpa. Deus tira de nós os nossos trapos imundos e nos veste com a justiça de Cristo.

> Regozijar-me-ei muito no SENHOR, a minha alma se alegra no meu Deus; porque me cobriu de vestes de salvação e me envolveu com o manto de justiça, como noivo que se adorna de turbante, como noiva que se enfeita com as suas joias. (Is 61.10)

Irmã, isso significa que você pode *descansar*! Você pode deixar de lado qualquer noção de trabalhar pela aprovação de Deus e descansar em Cristo. Sua posição justa diante de Deus é algo que Cristo realizou e sempre mantém por você. Não há uma única coisa sequer que alguém possa fazer para alterar o que Jesus fez. Essa graça nos liberta da escravidão do pecado e do pesado fardo da pretensão, e nos impulsiona a compartilhar com outros como eles podem ser libertos também.

Então, por que nos escondemos de Deus? Por que entorpecemos a nossa alma com nossa anestesia preferida para tentar nos livrar da convicção do Espírito Santo? Por que suamos e ficamos tensos sob o peso da pretensão na frente dos amigos que foram salvos pela mesma graça dada a eles pelo mesmo Salvador, ou na frente de amigos que não sabem que a graça também pode libertá-los? Não temos nenhuma boa razão para temermos confessar nossos pecados ao Senhor ou a nossas confiáveis irmãs em Cristo. Temos todas as razões para nos gloriarmos na cruz e confiarmos em Jesus como o nosso departamento de relações públicas. Milton Vincent diz sobre a graça da cruz: "Com os piores fatos sobre mim, portanto, expostos à vista dos outros, encontro-me pensando que realmente não tenho nada mais a esconder".[15] John Bunyan descreve a nossa justificação como um grande mistério: "E, de fato, este é um dos maiores mistérios do mundo; a saber, que uma justiça que reside no céu deve justificar-me, um pecador na terra!"[16] Esse é, de fato, um mistério exuberante!

Se você está em Cristo, então não há pecado que você possa cometer cujo castigo já não tenha sido tratado na cruz. Sofremos consequências pelo nosso pecado – relacionamentos quebrados, danos físicos, uma reputação arruinada e outros. Mas, mesmo assim, a sua justificação em Cristo está intacta. Deus não mudará e não muda de ideia. Ele sabia as piores coisas a seu respeito, e sabia das suas tendências à autojustiça quando lhe declarou justo pelo amor de Jesus.

O veredito está dado, irmã: Jesus pagou tudo. Somos justos em Cristo, perdoados de nossos pecados e livres para amarmos o Senhor e o próximo como Jesus nos amou (Jo 13.34), à medida que o amor de Cristo nos controla (2Co 5.14). Podemos nos livrar do pecado que tão facilmente nos enreda, e percorrer com perseverança essa aventura da maternidade que Deus nos deu. Não vivemos mais para nós mesmas, mas para Aquele que morreu por nós e ressuscitou (2Co 5.15). Isso é mais do que apenas uma boa notícia para nós; é uma boa notícia para os nossos filhos e para outras mães com as quais passamos o tempo. Em vez de ficarmos preocupadas com a construção do nosso próprio reino, podemos assumir o ministério de reconciliação que Deus nos deu. "De sorte que somos embaixadores em nome de Cristo, como se Deus exortasse por nosso intermédio. Em nome de Cristo, pois, rogamos que vos reconcilieis com Deus. Aquele que não conheceu pecado, ele o fez pecado por nós; para que, nele, fôssemos feitos justiça de Deus" (2Co 5.20-21). Quando você descobre que é a destinatária indigna da graça abundante de Deus, você não consegue evitar compartilhar isso com os outros.

MESMO SUPERMÃES PRECISAM DA GRAÇA DE DEUS

Conselhos sobre coisas tais como a escolha de uma cadeirinha de carro segura ou como ensinar um pré-escolar mimado a comer uma refeição bem equilibrada são fáceis de encontrar. Instruções sobre como amar o próximo e como criar seus filhos também estão prontamente disponíveis. O que estamos menos propensos a encontrar é o encorajamento para considerar como o evangelho transforma nossa maternidade.

Meu coração orgulhoso quer muito ser uma supermãe e que outras mães pensem que sou uma supermãe. Às vezes prefiro me gloriar em coisas ao invés de me gloriar na graça de Deus. O orgulho se mostra de muitas formas. Quando somos tentadas a nos deleitar na aceitação dos outros, precisamos nos aproximar do trono da graça de Deus. Podemos ter confiança de que Deus ouve as nossas orações, vem em nosso auxílio e reforça a nossa esperança nele por causa do que Cristo fez por nós na cruz. O orgulho nos induz a nos preocuparmos com o amanhã, como se pudéssemos controlá-lo com a nossa ansiedade. Nesses momentos de tensão precisamos lembrar que a graça de Deus ainda será suficiente amanhã. Isso significa que temos toda a graça de que necessitamos para agora. E quando o amanhã se tornar o agora, Deus nos dará a graça de que precisamos naquele momento também. A graça futura de Deus em Cristo é mais real do que todas as situações hipotéticas e cheias de ansiedade que ameaçam nos manter acordadas à noite.

O orgulho mostra-se em nossas interações com nossos filhos também. Por exemplo, em momentos cheios de frustração humilhamos nossos filhos por mera infantilidade, insinuando que, naquele momento, não há graça disponível para eles. Em vez de juntos nos maravilharmos com a graça da qual todos nós precisamos, distribuímos culpa para suas jovens consciências carregarem. Nosso coração orgulhoso é relutante em render-se à graça de Deus que é dada a nós *e* a nossos filhos.

Sei que o meu orgulho vive em uma casa de espelhos. Vislumbro lampejos do pecado que há em mim e hesito em acreditar: *Eu sabia que estava errada! Esse não é o meu verdadeiro eu. O meu verdadeiro eu só precisava ser lembrado disso a fim de ser o melhor de mim que eu sei que sou.* Você luta com isso também? Mais do que nunca, quando ouvimos nós mesmas orgulhosamente justificando o nosso pecado, devemos resistir à mentira que diz que a nossa mais profunda necessidade é o esquecimento. Precisamos de um Salvador! O evangelho fala de Jesus, que é o único que realmente amou o seu próximo. O precioso sangue de Cristo é o meio pelo qual o nosso pecado é expiado – não é através da negação ou da autojustificação ilusória.

Como mulheres que querem se gloriar em suas fraquezas, servir com a força de Cristo e se regozijar no sangue de Cristo que cobre todos os seus pecados, temos algumas perguntas diretas para nos fazer:

> Por que tentamos tomar de volta de Cristo algumas das vergonhas que ele sofreu por nossa causa?

> Por que queremos ter de volta o fardo de nossa culpa que Jesus levou na cruz? Só para podermos perseguir uma sombra de dignidade hipócrita?

> Será que o nosso pecado está além do alcance da graça transformadora de Deus?

Nós realmente nos atrevemos a sugerir que a obra de Cristo na cruz não é suficiente para cobrir as nossas fraquezas, tolices e falhas como mãe?

Nós realmente nos atrevemos a devolver a Deus sua sentença afirmativa – "Esse pecador está *justificado*!" – para que possamos vagar um pouco mais no Purgatório das Mães?

Certamente a graça de Deus é totalmente irresistível e infinitamente mais adorável que qualquer vanglória que possamos ter. "A graça irrompeu espontaneamente do seio do amor eterno e não descansou até retirar todo impedimento e encontrar seu caminho até o pecador, crescendo ao seu redor em pleno fluxo. A graça acaba com a distância que o pecado havia criado entre o pecador e Deus. A graça encontra o pecador onde ele está; a graça se aproxima dele assim como ele é".[17]

LEVANTA-TE, MINHA ALMA, LEVANTA-TE

Nossa garantia não está baseada em sabermos as coisas certas a se fazer ou em pensarmos que, se tivéssemos a chance, faríamos melhor. Nenhuma autodepreciação ou boas intenções podem expiar o pecado diante de um Deus santo. Não, nós somos representados por um fiador, alguém que voluntariamente tomou a responsabilidade jurídica plena pela nossa dívida de pecado intransponível com Deus.

Jesus é o nosso fiador (Hb 7.22). E o nosso fiador está agora diante do trono de Deus – seu sacrifício de sangue pelos pecados pleiteia a graça de Deus (Hb 12.24).

Sinclair Ferguson disse em seu livro *In Christ Alone*: "Quando sei que Cristo é o único verdadeiro sacrifício pelos meus pecados, que a sua obra em meu lugar foi aceita por Deus, que ele é meu Intercessor celestial – então seu sangue é o antídoto ao veneno nas vozes que ecoam em minha consciência, condenando-me por minhas muitas falhas. De fato, o sangue derramado de Cristo as sufoca até silenciarem!"[18]

Culpa é uma motivação terrível, e a culpa nunca fortaleceu o coração de ninguém. Somente em Cristo podemos estar certos do perdão pleno de hoje e de mais graça para amanhã. O indigno lamento de justiça própria: "Eu sou melhor do que isso; como pude ser tão tolo?" é um pobre condutor de graça em nossas vidas e não nos oferece nada para o amanhã, senão culpa agravada. Mas a notícia do evangelho que liberta a alma e diz que Jesus nos amou perfeitamente na cruz e que redime as nossas falhas – é outro tipo de notícia. Essa é uma notícia muito boa. Agora, com *alegria cheia de fé* podemos nos alegrar em Deus e dizer: "Como eu pude ser tão tola? Veja a graça que ele me mostrou em seu Filho!" Você vê a sua necessidade de Jesus? Corra para ele! Não perca tempo. O sangue de Jesus nos perdoa de nossa intransponível hipoteca de pecado e nos liberta das correntes do nosso farisaísmo delirante. Somos livres para caminhar no amor de Deus e amar o nosso próximo com a força que ele nos dá. Podemos cantar com Charles Wesley: "Levanta-te, minha alma, levanta-te; deixe seus medos culpados e ergue-te!" À medida que nos erguemos, erguemo-nos com temor e tremor de que Deus – o Deus que colocou as estrelas em seu lugar – é capaz de trabalhar em nós e tem prazer em fazê-lo.

À medida que nos erguemos, erguemo-nos para Deus, que executou seu juízo sobre o seu Filho por nós e que nos traz para a sua luz (Mq 7.8-9). Nós nos aproximamos de seu trono com confiança para reivindicar a graça que agora está garantida a nós em Cristo. Então, pela graça de Deus, podemos estender graça aos nossos filhos.

NÃO DESISTA

Deus decretou que aqueles que estão em Cristo estarão firmados em uma justiça que não é a sua própria. "Agora, pois, já nenhuma condenação há para os que estão em Cristo Jesus" (Rm 8.1). Deus, nosso Pai, que nos disciplina porque nos ama (Pv 3.11-12), é o mesmo Deus que é por nós ininterruptamente até o fim (Rm 8.38-39). É o Senhor que é capaz de nos fazer permanecer como mães cujos corações são totalmente dele. Temos confiança em Cristo diante de qualquer coisa que ,de forma impotente, ameace nos separar do seu amor. "Ó inimiga minha, não te alegres a meu respeito; ainda que eu tenha caído, levantar-me-ei; se morar nas trevas, o SENHOR será a minha luz" (Mq 7.8). Magnificamos a graça de Deus quando servimos a nossa família com todas as nossas forças, ainda que estejamos cercadas de fraquezas, fragilidade, timidez e falta de fé.

O Senhor, que disciplina a quem ama, será o seu advogado invencível e triunfará no tribunal por você. Ele pleiteará a sua causa. Ele será a sua luz. A nuvem passará. E você permanecerá em uma justiça que não é sua própria e fará o trabalho que ele lhe deu para fazer. Ó, aprendamos o segredo da culpa corajosa com a perseverança dos santos pecadores que não foram paralisados por suas imperfeições. Deus tem uma grande obra para cada um fazer. Crie seus filhos com toda a sua força – sim, e até mesmo com todas as suas falhas e todos os seus pecados. E, na obediência da sua fé, magnifique a glória da graça de Deus e não se canse de fazer o bem.

Você e eu talvez nunca sejamos nomeadas para o prêmio de "Mãe do Ano". A estante de troféus poderia permanecer vazia. Mas, realmente, não precisamos de um troféu para comemorar o nosso trabalho na maternidade. Para nos gloriarmos no poder de Cristo, não precisamos nem mesmo que os nossos filhos se levantem e nos chamem ditosa (embora isso seja bom). A glória que queremos em nossa maternidade é de um tipo mais radical. Queremos nos gloriar *ainda mais alegremente* em nossas fraquezas e na necessidade da graça de Deus para que o poder de Cristo repouse sobre nós (2Co 12.9).

Considere a expiação de Cristo, o dom da justificação e da justiça imputada, e a intercessão sacerdotal de Jesus por você.

Resista à tentação de se cansar e desfalecer (Gl 6.9). Glorifique a Deus ao desfrutar dele – ele é um prêmio mais verdadeiro e melhor do que as adulações dos nossos filhos, de outras mulheres e, até mesmo, da nossa autoaprovação.

10

Mães são Fracas, mas Ele é Forte

Certa manhã, antes de meus três filhos cumprimentarem o sol com as suas declarações exuberantes de amor pelas primeiras horas do dia, eu estava escrevendo algumas anotações para o manuscrito desse livro. Cansada, mas ansiosa para estudar mais sobre a misericórdia de Deus por nós, mães, eu estava encolhida debaixo de um cobertor no sofá com o meu laptop e uma xícara de café. Então, de repente, percebi que meu café da manhã tinha gosto de óleo de motor e espuma de sabão.

"Isso é realmente verdade? Poderia ser?" Meu coração começou a bater mais rápido. Pensei se as minhas papilas gustativas estariam mentindo. Com as mãos já suando, levantei minha caneca para tomar outro gole. Sim, tinha gosto de óleo de motor e espuma de sabão preparados juntos e disfarçados como algo delicioso e reconfortante. Então, joguei o café de péssimo gosto pelo ralo e enxaguei minha boca com um pouco de água.

Ouvi minhas meninas discutindo sobre o que seu irmãozinho bebê deveria vestir naquele dia, então fui até o quarto onde estavam e intervim em nome dele. Após o café da manhã, meu marido deu um beijo de despedida em todos nós e desceu as escadas para pegar um táxi para o trabalho.

"Todo mundo com sapatos!" - eu gritei, e deixamos a nossa rotina matinal para dar uma saída. Andamos pelo corredor, pegamos o elevador até o térreo e caminhamos até a farmácia. Eu tinha que descobrir se a minha suspeita era verdadeira.

E ela era. Era bem verdadeira. O bebê número quatro estava a caminho!

Sentimentos de alegria misturaram-se ao medo com essa descoberta. Outra criança! Eu me senti tão indigna desse presente tão grandioso de Deus. Mas, ao mesmo tempo, meu coração tremeu por causa da incrível realidade da responsabilidade e do trabalho que outro bebê traria. Justamente naquela semana meu marido havia me pedido para orar especificamente por alegria e alívio do sofrimento porque sua dor crônica no braço era a pior que ele havia sentido em um longo tempo. Minha mente voltou a antigas dúvidas familiares: *E se as coisas continuarem a piorar cada vez mais em relação à saúde de David? E então? Deus poderia sustentar a nossa família em meio à dor crônica e tudo mais que viesse com ela, além de um novo bebê?* A tentação de duvidar da perfeita vontade de Deus parecia quase tangível. Mas também parecia tangível a garantia da habitação do Espírito Santo que falou ao meu coração: "Rendei graças ao SENHOR, porque ele é bom; porque a sua misericórdia dura para sempre" (1Cr 16.34).

Lembrei-me de que a maternidade não é uma bênção dada a mim porque eu mereço. Não é uma recompensa por minhas boas ações ou (como alguns poderiam sugerir) uma condenação por minhas más ações. Deus me fez mãe porque ele, zelosa e justamente, deseja louvores ao seu próprio nome, e foi assim que ele achou por bem fazê-lo. Deus tem por objetivo glorificar a si mesmo por meio da nossa família, e nós somos sustentados pela sua graça. Ele criou essas crianças, nessas circunstâncias, para esse momento. Deus é tão bom. Sua bondade não é uma sombra inconstante de uma atitude mutável, mas um atributo imutável. Tudo o que Deus tem para nós em Jesus é um presente de sua misericórdia. E assim, pela graça de Deus, ainda tremendo, porém confiando, louvei ao Senhor pelo seu generoso presente de uma nova vida!

Mãe cristã, todas nós precisamos nos lembrar de quem somos e do que ele diz que nós somos. Deus tem planos para glorificar a si mesmo por meio de sua vida que estão além do que você pode imaginar.

A ILUSÃO DA FORÇA

Embora possamos reconhecer que o trabalho de uma mãe é difícil, às vezes vivemos como se não precisássemos de nenhuma ajuda. Dito como testemunho da força de uma mulher, ouvimos que "a maternidade não é para os fracos".

No entanto, pode-se argumentar que a maternidade é *somente* para os fracos. Quando a primeira criança nasceu, Eva disse: "Adquiri um varão com o auxílio do SENHOR" (Gn 4.1). De vez em quando, em meu trabalho como doula, uma mulher admite para mim que ela não acha que conseguirá – perseverar até o fim de sua gravidez, dar à luz o seu bebê ou criar seu filho. Quando reconhecemos nossa incapacidade de criar nossos filhos longe da provisão e da força do Senhor, honramos a Deus. *É claro* que não somos capazes de fazer esse trabalho de criar os filhos e educá-los na instrução do Senhor. É por isso que precisamos desesperadamente do Senhor! Devemos ser "fortalecidos *no Senhor* e na força do *seu poder*" (Ef 6.10).

Esse tipo de dependência absoluta em Deus insulta o nosso orgulho. Somos muito rápidas em abraçar outras soluções para o nosso cansaço emocional, físico e mental. "Eu posso resolver isso sozinha", dizemos a nós mesmas. Na maioria das vezes, em nossas provações, fingimos que está tudo bem e mergulhamos de cabeça em autossuficiência. A fé, no entanto, reconhece a fúria da tempestade e nos lança para o mar, e nadamos o mais rápido que podemos para onde vemos Jesus andar sobre as águas (Jo 6.16-21).

Fisicamente, emocionalmente, mentalmente e espiritualmente, precisamos da força do Senhor para honrá-lo em nossa maternidade. Às vezes, o barulho de pezinhos no chão significa que seu filho está passando uma caneta colorida ao longo da parede do corredor enquanto foge de você. Os doces berros de um recém-nascido podem se transformar em respostas atrevidas e palavras rancorosas. Em todas as ocasiões, as mães devem contar com a força de Deus. Se pensarmos que podemos fazer "essa coisa da maternidade" com a nossa própria força, então estamos enganando a nós mesmas.

Alguns verões atrás, fui a um ortopedista por causa de algumas dores nas costas que eu estava tendo. Eu não conseguia me debruçar para mudar uma fralda sem que as minhas costas travassem, e elas continuavam doendo mesmo depois de uma boa noite de descanso. Depois de um exame físico e algumas radiografias, o médico diagnosticou o meu problema. "Sua força está esgotada!", disse. "Quando foi a última vez que você fez exercícios de fortalecimento da parte central do corpo?" O "Dr. Sincero" explicou que meus músculos das costas estavam lutando para compensar meus fracos músculos abdominais. Ele prescreveu alguns analgésicos para quando as minhas costas realmente doessem e me deu alguns conselhos valiosos: "Se você não fizer alguns abdominais logo, então você causará danos mais graves às suas costas". Sua franqueza me assustou, mas ele estava certo. Fico contente por ele ter me contado a verdade sobre a minha dor e me incentivado a fazer o que eu podia para fortalecer o meu corpo. Minha força física havia sido uma ilusão, e descobrir isso foi uma boa chamada para a disciplina.

CRIANDO FILHOS MESMO SEM FORÇA

Uma querida amiga que tem uma filha casada, um filho graduado na faculdade e outro no Ensino Médio gosta de me lembrar: "Sua força física é esgotada quando seus filhos são novos, e então, quando eles envelhecem, a sua força emocional acaba também". À medida que os nossos filhos crescem, nós nunca superamos a nossa necessidade da graça de Deus, em todo momento, por meio do evangelho. Disciplinar a nós mesmas a depender conscientemente de sua força é uma forma de crescermos na fé.

Sempre que considero a maternidade, costumo recorrer a uma lista mental de todas as maneiras pelas quais eu gostaria de poder fazer mais pelos meus filhos. Quero orar de forma mais perseverante por eles, ser mais consciente em instruí-los nos caminhos do Senhor, beijá-los e abraçá-los mais, e me lembrar de dar os seus multivitamínicos todos os dias. Essas são boas metas para se ter, mas, quando minha visão está focada na minha força limitada, o meu trabalho é um fardo e não uma alegria habilitada pela graça.

Na versão ESV (*English Standard Version*) da Bíblia em inglês, o título para o Salmo 71 é o seguinte: "Não me desampares quando minha força se for". Isso é profundamente sugestivo para um salmo que louva o Senhor como aquele que nos salva em sua justiça e é para nós uma rocha de refúgio. Quer você sinta que simplesmente não pode suportar, ou que você não "tem isso em você" mais, ou que, ao contrário, sabe que tem o que é necessário, o evangelho triunfa sobre tudo. Só a graça de Deus no evangelho pode fortalecer a nossa fé a fim de deixar Jesus carregar os nossos fardos na criação de filhos.

FALE A SI MESMA

Uma das maneiras de ter a fé fortalecida é renovando sua mente continuamente ao meditar sobre as verdades do evangelho. Fale consigo mesma sobre o que a Palavra de Deus diz. Lembre seus filhos e a si mesma frequentemente sobre quem Deus é, o que ele fez para salvar pecadores através da morte de Jesus na cruz, e como ele nos mostrou seu compromisso de nos sustentar até o fim por meio da garantia da habitação do Espírito em nós.

Você está se sentindo invencível hoje? Seja humilde à medida que você se lembrar de quem, primeiramente, a criou e sustenta a sua própria vida. "Pois tu formaste o meu interior, tu me teceste no seio de minha mãe" (Sl 139.13).

Você está se sentindo sobrecarregada por causa de sua fraqueza? Glorie-se no poder de Deus para usá-la apesar de sua fraqueza. "Então, ele me disse: A minha graça te basta, porque o poder se aperfeiçoa na fraqueza. De boa vontade, pois, mais me gloriarei nas fraquezas, para que sobre mim repouse o poder de Cristo" (2Co 12.9). Lembre-se de que Cristo, o seu fiador, é por você.

Quando o vingador de sangue seguir você, fuja imediatamente para esse santuário. Pense: Não me deixe negar, ao mesmo tempo, consolo a mim e glória a Deus. "Onde o pecado abunda, a graça abunda muito mais" (Rm 5.20). Embora pecados após a conversão manchem nossa profissão de fé mais que os pecados cometidos antes da conversão, ainda assim vá à misericórdia gloriosa de Deus. Para setenta vezes setenta, ainda há misericórdia. Nós vos rogamos ser reconciliados, disse São Paulo aos Coríntios, quando eles estavam em estado de graça e já haviam recebido o perdão. Nunca devemos nos desanimar de ir à Cristo.[19]

O evangelho tem relevância para o seu dia hoje, não importa quão forte você se sinta nesse momento. A resposta que devemos ter a essa notícia é transbordar em louvor para que outros possam ver como Deus, o Senhor, é para você.

A minha boca relatará a tua justiça e de contínuo os feitos da tua salvação, ainda que eu não saiba o seu número. Sinto-me na força do SENHOR Deus; e rememoro a tua justiça, a tua somente. Tu me tens ensinado, ó Deus, desde a minha mocidade; e até agora tenho anunciado as tuas maravilhas. Não me desampares, pois, ó Deus, até à minha velhice e às cãs; até que eu tenha declarado à presente geração a tua força e às vindouras o teu poder.

> Ora, a tua justiça, ó Deus, se eleva até aos céus. Grandes coisas tens feito, ó Deus; quem é semelhante a ti? (Sl 71.15-19)

SIRVA COM A FORÇA QUE DEUS PROVÊ

O Senhor nos diz por meio de Pedro que não devemos servir com a nossa própria força. Deus nos diz isso porque não temos força com a qual possamos servi-lo primeiro.

> Servi uns aos outros, cada um conforme o dom que recebeu, como bons despenseiros da multiforme graça de Deus. Se alguém fala, fale de acordo com os oráculos de Deus; se alguém serve, faça-o na força que Deus supre, para que, em todas as coisas, seja Deus glorificado, por meio de Jesus Cristo, a quem pertence a glória e o domínio pelos séculos dos séculos. Amém! (1Pe 4.10-11).

Jesus morreu na cruz para que tivéssemos a graça gratuita e imerecida de Deus. E, quando nos apropriamos dessa graça em nossas vidas e servimos os outros, estamos servindo na força que Deus supre. É assim que podemos servir de forma que Deus receba a glória – por meio de sua força devido à sua graça que nos foi mostrada em Jesus.

A graça de Deus é suficiente para tudo o que ele nos chamou a fazer. "Deus pode fazer-vos abundar em toda graça, a fim de que, tendo sempre, em tudo, ampla suficiência, superabundeis em toda boa obra" (2Co 9.8). Deus faz toda graça abundar em nós por meio de seu Filho Jesus. E é por meio da força do Espírito Santo que habita em nós que somos capazes de abundar (não apenas nos arrastar) em toda boa obra que ele colocar diante de nós. E à medida que trabalhamos, trabalhamos com um olho na eternidade, sabendo que o nosso trabalho não é vão no Senhor. "Portanto, meus amados irmãos, sede firmes, inabaláveis e sempre abundantes na obra do Senhor, sabendo que, no Senhor, o vosso trabalho não é vão" (1Co 15.58).

Mesmo quando estamos tremendo, mas confiando no Senhor, Deus nos torna dignos da sua vocação e cumpre todo propósito de bondade e obra de fé pelo *seu* poder (2Ts 1.11). De acordo com a sua graça, Deus glorifica o nome do nosso Senhor Jesus em mães que servem na força que ele supre.

11

A Metanarrativa da Maternidade

Culturas ao redor do mundo reconhecem que a maternidade é honrosa.

Certa vez comemos em uma famosa churrascaria em Nova Iorque. Sentado a uma mesa próxima a nós estava um motociclista com uma elaborada tatuagem "Eu amo a minha mãe" em seu bíceps. Quando passei algum tempo em Mombaça, Quênia, observei pessoas abrirem espaço no lotado *mutatus* (uma espécie de ônibus/táxi) para dar lugar a mães. Alguns anos atrás, quando a minha própria mãe e a mãe do meu marido vieram nos visitar aqui no Oriente Médio, membros de nossa igreja as honraram com encorajamentos e elogios. Nessa cidade global multicultural, não consigo contar todas as vezes que saí e recebi tratamento especial de pessoas simplesmente porque sou mãe. Quando estou grávida, meu marido gosta especialmente quando nos presenteiam com uma sobremesa grátis "para o bebê". Quando se ouve uma história de como uma mãe foi maltratada ou criticada, muitas vezes há uma reação visceral de injustiça ou vergonha. Ao observar pessoas de várias culturas aqui, tenho notado que não honrar a sua mãe fará você ganhar o título de "ingrato".

A MATERNIDADE É UM DOM PRECIOSO

No entanto, mesmo que tenhamos a maternidade em alta estima, algumas declarações que ouvimos sobre isso tendem a soar falsas e banais. Lembro-me bem de sentir isso quando tentava trocar uma fralda explosiva no meu colo em um avião, e um senhor mais velho ao meu lado comentar: "A maternidade não é uma bênção"? Tive que perguntar a mim mesma se ele estava sendo sincero, ou fazendo uma piada leve, ou sendo desdenhosamente sarcástico.

Se a maternidade é um presente, então por que a verdadeira bem-aventurança da maternidade suscita em nós tal ceticismo?

Penso que uma das razões de eu lutar com isso seja o meu pecado. Preciso ser transformada pela renovação da minha mente mundana para que eu possa discernir a boa e perfeita vontade de Deus (Rm 12.2). Sem a obra de Deus de santificação na minha vida, eu seria deixada com meus pensamentos pecaminosos que tanto idolatram *quanto* desprezam a maternidade. Posso facilmente transformar a maternidade em algo que se trata só de mim ou mesmo minimizá-la ao nível de algo que dá pena.

A Bíblia não descreve a maternidade como uma diminuição da personalidade de uma mulher nem como a soma de sua personalidade. Feminilidade, em última análise, tem como foco outra pessoa, Jesus. Do mesmo jeito, a maternidade também tem como foco outra pessoa, Jesus. O maior objetivo da feminilidade não é a maternidade; o mais alto objetivo da feminilidade é ser conformada à imagem de Cristo. O objetivo multifacetado da maternidade nos aponta na mesma direção, Jesus. Um dos presentes da maternidade é que Deus a utiliza para traçar a imagem de seu Filho em nossas vidas.

Quando fazemos da maternidade (ou qualquer outra coisa) algo totalmente sobre nós, eventualmente nos entediamos. E é claro que ficamos entediadas com a maternidade quando somos obcecadas por ela, porque a maternidade nunca foi concebida para nos satisfazer plenamente. Quando nos entediamos, tornamo-nos cínicas: "Maternidade – um presente? *Claro*". Algumas mulheres lamentam que, se Deus alguma vez lhes der filhos, elas ficarão devastadas. Algumas mulheres lamentam que, se Deus nunca lhes der filhos, eles ficarão devastadas. Deveríamos estar procurando um meio termo? Será que mulheres cristãs deveriam apenas tomar uma dose de cinismo e seguir com o copo meio cheio de gratidão, como o mundo poderia sugerir? Acho que a Bíblia nos dá a resposta para essa pergunta.

EM ADÃO, TODOS MORRERAM

A Bíblia oferece um paradigma para pensarmos sobre uma maternidade que está fora dos nossos ideais mundanos.

Talvez, como eu, você precise de um "lembrete" constante da Palavra de Deus sobre a maternidade. É fundamental lembrar o que a Bíblia diz quando lutamos com nossos sentimentos de apatia ou desejo idólatra em relação ao dom da maternidade.

Em Gênesis 1.28, Deus abençoou o homem e a mulher que criou. Ele lhes disse (entre outras coisas): "Sede fecundos, multiplicai-vos, enchei a terra e sujeitai-a". Sujeitar, governar, multiplicar – essas são coisas que nenhum deles poderia fazer por si mesmo. Essas são coisas que eles nunca poderiam fazer sem a ajuda de Deus. Deus fez macho e fêmea, ambos à sua semelhança, e, em seguida, os uniu. Ele os projetou para serem totalmente dependentes dele em tudo.

Mas Adão e Eva decidiram que não precisavam depender de Deus em tudo. *Quem precisa da sabedoria de Deus quando se tem o que é preciso?* era o raciocínio deles. Envolvidos em si mesmos e comendo a mentira que a Serpente sussurrou, o homem e a mulher desobedeceram a Deus e comeram do fruto proibido. Eles zombaram da morte, que é a justa punição de Deus pelo pecado. *Caramba* é uma palavra muito fraca para esse dilema.

Já discutimos essa história neste livro, mas o seu significado merece ser repetido. É fácil para nós sentirmo-nos distantes desse incidente no jardim. Nascemos em um mundo onde ouvimos a ideia absurda de que "a morte é um fato da vida". Que relevância tem esse incidente no jardim do Éden para as nossas vidas? A resposta, em suma, é que o pecado e a morte de Adão estão ligados ao nosso. "Porque, assim como todos morrem em Adão..." (1Co 15.22). Fique com esse pensamento em mente – e agora? Especificamente, *e agora o que será da maternidade*? Não seria a raça humana justamente extinta por causa da traição cósmica do homem e da mulher contra o Deus Todo-Poderoso?

VIDA APESAR DA MORTE

Dentro da maldição que Deus pronunciou contra a Serpente, podemos ouvir as reverberações dos batimentos de seu coração misericordioso. Ele olha para Adão e Eva, que se tornaram seus inimigos, e tem compaixão deles. Na maldição, Deus descreve uma guerra épica que acontecerá entre o Maligno e a descendência da mulher:

> Porei inimizade entre ti e a mulher, entre a tua descendência e o seu descendente. Este te ferirá a cabeça, e tu lhe ferirás o calcanhar. (Gn 3.15)

A mulher teria descendência.

A maldição pronunciada sobre a Serpente está carregada da misericórdia de Deus para com os seus filhos. A descendência específica que Deus prometeu é Cristo Jesus, nossa bendita esperança. Satanás iria feri-lo; na lógica inversa de força através do sofrimento, o Messias teria a vitória decisiva nessa guerra. Algum dia, um Messias nasceria e mudaria o curso do universo para sempre.

Richard Sibbes falou desse vislumbre do evangelho: "Você conhece a promessa que gera todas as outras, 'a semente da mulher' (Gn 3.15). Ela revogou a maldição e transmitiu a misericórdia de Deus em Cristo para Adão. Assim, todas as doces e graciosas promessas têm sua fonte nela. Todas têm Cristo como centro; todas são feitas por ele e nele; ele é a soma de todas as promessas. Todas as coisas boas que temos são parcelas de Cristo".[20]

Adão considerou como certa a promessa de vida de Deus. "E deu o homem o nome de Eva a sua mulher, por ser a mãe de todos os seres humanos" (Gn 3.20). Quero esperar em Deus da mesma forma que Adão fez naquele momento.

O fato da vida é uma manifestação global, histórica e escatológica da rica misericórdia de Deus. Isso era verdade no jardim, e isso é verdade para nós agora. Temos fôlego pela graça e misericórdia do Senhor que não tarda em cumprir a sua promessa, mas é paciente para com os pecadores, para que possamos nos arrepender e nos prender a ele para sempre (2Pe 3.9).

MATERNIDADE PELA FÉ

Como Adão e Eva, todos nós merecemos a morte por causa do nosso pecado contra Deus. E, como Adão e Eva, a nossa única esperança está no Messias prometido, que fez por nós o que nunca poderíamos e nunca faríamos por nós mesmos. Jesus apresentou-se como um sacrifício pelos nossos pecados e deu o golpe fatal contra a morte e Satanás.

Pelo poder de sua palavra, Jesus sustenta o universo, incluindo todas as crianças que já tenham sido concebidas. A maternidade é uma concepção de Deus – ele a ordenou e a sustentou para o louvor da sua gloriosa graça. A vida serve a glória de Deus somente. Além do dom da vida física, que nenhum de nós merece, nosso soberano Senhor Jesus oferece para nós a esperança da vida eterna, a qual Deus, que nunca mente, prometeu antes dos tempos eternos (Ti 1.2). Quando confiamos em Cristo, ele nos une a si e nos dá essa vida eterna.

Nascer de novo não é monótono nem insípido. "Porque, assim como, em Adão, todos morrem, assim também todos serão vivificados em Cristo" (1Co 15.22). Pela fé, olhamos para a cruz e vemos o autor da vida tomando sobre si os nossos pecados. Pela fé, ansiamos pelo dia em que estaremos face a face com o Senhor para sempre. *Quando as mães nutrem a vida pela fé, elas participam do triunfo escatológico da vitória de Cristo sobre o pecado e a morte.*

Na eternidade, sempre estaremos profundamente cientes de como é maravilhoso ser um vaso da graça de Deus, porque isso significa que estamos recebendo o próprio Deus. O próprio fato da vida é evidência de que o autor da vida é um Deus de misericórdia, graça e fidelidade. Assim, quando parecer que o seu coração está prestes a explodir enquanto olha fixamente para o seu bebê dormindo, ou quando sentir-se maravilhada ao observar o horizonte da sua cidade cheio de gente, ou quando você se maravilhar com retratos de portadores da imagem de Deus de todo o mundo, erga-se em louvor a Deus. Não há nada de entediante sobre o conceito da maternidade.

Ainda assim, quão rapidamente podemos nos esquecer de Jesus quando os dias e as noites estão cheios de bons presentes de Deus. Muitas vezes, estamos alegremente limitadas em nosso pequeno reino míope onde derretemos sinais que nos apontam para Jesus e os moldamos em ídolos para adoração.

No entanto, o caráter perfeito de Deus nos assegura de que ele é maior do que as nossas fraquezas: "Se somos infiéis, ele permanece fiel, pois de maneira nenhuma pode negar-se a si mesmo" (2Tm 2.13). Cristo, a nossa âncora, nos resgata de perseguirmos nossas vaidades e libera-nos para, em vez disso, usarmos os nossos dons para construirmos o seu reino eterno. O fogo da nossa esperança em Cristo é alimentado pela Palavra de Deus, mas não apenas para que nos sintamos satisfeitas. À medida que vivenciamos a maternidade pela graça de Deus, nossa esperança em Cristo se torna um testemunho para as pessoas em nossas casas. Nossa satisfação em Cristo gera ainda mais satisfação em Cristo quando colocamos nossas vidas a serviço dos outros. Quando a nossa esperança está em Cristo, aqueles em nossa casa ficam intrigados e querem respostas: qual é a razão da esperança que há em você? (1Pe 3.15).

QUAL É O OBJETIVO DA MATERNIDADE?

A maternidade é uma evidência do plano triunfante de Deus para dar vida, apesar da maldição da morte. É um presente que nos aponta para Jesus. À medida que a vida marcha para o louvor da glória de Deus, vemos uma fascinante exibição da graça de nosso Pai, que cumprirá sua promessa de dar o seu Filho como herança às nações para o louvor da sua glória. Não há objetivo maior do que esse.

Existem ideias supérfluas circulando no mundo que tentam explicar o objetivo da maternidade. Muitas dessas ideias possuem uma inclinação espiritual, descrevendo a maternidade como uma expressão do "espírito humano" ou uma metáfora da "Mãe Terra". Como cristãos, entendemos que qualquer orientação espiritual para a maternidade que tente conectar uma mulher a Deus, longe da morte expiatória substitutiva de Jesus, não pode ser bem-sucedida. A afirmação de Jesus sobre ser "o caminho, e a verdade, e a vida" (Jo 14.6) tem implicações no modo como vemos o nosso papel de mães. A lente da profunda realidade do evangelho é por onde vemos a maternidade pelo que ela é – uma misericórdia. Louve a Deus pela misericórdia que ele tem sobre nós mesmo quando transformamos esse presente em um veículo para a nossa autorrealização.

Com o pecado de Adão e Eva no jardim, toda a sua descendência, juntamente com eles, foi justamente acusada e condenada à morte. Apesar do grande pecado deles, Deus não apenas permitiu vida, mas também a facilitou e a sustenta ainda hoje. A misericórdia mostrada a nós na cruz de Jesus Cristo é o ponto alto da graça abundante de Deus. Herman Bavinck escreveu: "Com base nesse sacrifício [Cristo], Deus pode arrancar o mundo e a humanidade das garras do pecado e expandir seu reino".

Embora nós roubemos a glória de Deus e insistamos na ideia de que a maternidade existe para servir os nossos egos e reputações, Deus nos dá ainda mais misericórdia. Mesmo quando ficamos ansiosas com o tempo de Deus de fazer as coisas para a nossa família, Deus graciosamente continua a cumprir os seus propósitos eternos na criação de cada membro da nossa família. Libertas de nossas paixões egoístas, podemos nos alegrar com a reconciliação que recebemos por meio de Jesus, abraçar os propósitos de Deus em nossa maternidade, e sorrir para o futuro à medida que olhamos adiante para a graça futura que nos é dada em Cristo Jesus. Deus projetou a maternidade para evidenciar sua grande misericórdia e nos direcionar (e nossos filhos) àquele para quem fomos feitos: o Cristo ressurreto no qual estaremos eternamente satisfeitos (Jo 17.24). As alegrias da maternidade de hoje são verdadeiras, mas elas são como sombras refletidas em um espelho. No final de cada dia – tanto os caóticos quanto os normais – a maternidade é para adorarmos e desfrutarmos o nosso grande Deus. Os serafins no céu clamam continuamente: "E clamavam uns para os outros, dizendo: Santo, santo, santo é o SENHOR dos Exércitos; toda a terra está cheia da sua glória" (Is 6.3). Alegramo-nos com a maternidade hoje, uma vez que ela se destina a nos levar a adorar a Deus em tudo o que fazemos, como uma pequena degustação para a adoração que desfrutaremos no céu eternamente.

Mesmo durante o trabalho exaustivo da maternidade que muitas vezes parece tão fútil, podemos desfrutar o que vivenciaremos para sempre. Em Apocalipse 5, João tem uma visão do Cristo ressurreto, glorificado e reinante. No versículo 13, João nos diz como todo mundo responderá a Jesus: "Ouvi que toda criatura que há no céu e sobre a terra, debaixo da terra e sobre o mar, e tudo o que neles há, estava dizendo: Àquele que está sentado no trono e ao Cordeiro, seja o louvor, e a honra, e a glória, e o domínio pelos séculos dos séculos". Para sempre na eternidade estaremos louvando ao Senhor e, mesmo agora, podemos louvá-lo, conhecendo Jesus Cristo, e esse crucificado por nós.

A próxima vez que algo rotineiro acontecer, como o cesto de roupas sujas se encher (de novo), ou descobrir o que restou da (outra) caixa de lenços que o seu filho curiosamente pegou, deixe o seu murmúrio se transformar em aleluias: "Louvai ao SENHOR, vós todos os gentios, louvai-o, todos os povos. Porque mui grande é a sua misericórdia para conosco, e a fidelidade do SENHOR subsiste para sempre. Aleluia!" (Sl 117.1-2). Lembre-se das verdades da Palavra de Deus e surpreenda-se à medida que o Espírito lembrar você do que os seus olhos da fé viram. "[Fé] é a visão mais nobre de todas. E é tão rápida quanto uma visão; pois a fé é aquela águia na nuvem. Ela atravessa tudo e vê, em um momento, Cristo nos céus; ela olha para trás e vê Cristo na cruz; ela olha adiante e vê Cristo vir em glória. A fé é uma graça instantânea que apresenta as coisas do passado, coisas do alto e coisas do por vir – tudo em um só momento, tão rápido é esse olho de águia da fé".[21]

Permita que a maternidade incline o seu coração para adorar, e bendiga ao Senhor que enche as suas mãos com bênçãos. "Exaltar-te-ei, ó Deus meu e Rei; bendirei o teu nome para todo o sempre. Todos os dias te bendirei e louvarei o teu nome para todo o sempre. Grande é o SENHOR e mui digno de ser louvado; a sua grandeza é insondável" (Sl 145.1-3).

Louvar o nosso grande e misericordioso Deus é o hino de uma mãe – a canção que ela estará cantando para todo o sempre.

Conclusão

O Testemunho de Paz de Uma Mãe

Costumamos conversar em nossa casa sobre o que outras pessoas estão fazendo naquele exato momento em diferentes partes do mundo.

Nossos filhos fazem perguntas como: "Em que parte do mundo já é noite agora?" "O que as crianças na Índia estão fazendo agora?" "Você acha que os nossos amigos na Escócia estão na escola agora?" "Quem está tomando café da manhã agora?"

Talvez a pergunta mais engraçada até agora tenha sido: "[suspiro] Será que alguma outra menina de cinco anos de idade em todo o mundo tem que ficar de castigo agora"?

Falar sobre coisas como fuso horário e geografia é um claro exercício educativo para as crianças. Também serve para mim como um lembrete oportuno do amor inabalável do Senhor e de como a sua misericórdia nunca acaba. Em todo o mundo,

Deus está dando e sustentando a vida para o louvor da sua graça. Sua misericórdia é nova a cada manhã, e sempre é manhã em algum lugar.

Precisamos ser lembradas de quem Deus é a cada dia. John Owen nos lembra de como o processo de santificação é apenas isso, um processo. "O crescimento de árvores e plantas ocorre tão lentamente que não é facilmente observado. Diariamente notamos pouca mudança. Mas, no decorrer do tempo, vemos que uma grande mudança ocorreu. Assim é com a graça. A santificação é um trabalho progressivo ao longo da vida (Pv 4.18). É um trabalho incrível da graça de Deus, e é um trabalho pelo qual temos que orar (Rm 8.27)".[22]

Nosso coração precisa valorizar Jesus, a quem Deus designou como herdeiro de todas as coisas, que criou todas as coisas e que sustenta o universo pela palavra do seu poder (Hb 1.1-3). O pequeno pedaço de rocha no qual estamos girando em meio ao vasto cosmos está sendo mantido por Cristo. É bom que nos humilhemos e lembremo-nos de que, mesmo em todo o seu brilho aparentemente inescrutável, o universo é um eufemismo da glória radiante de Jesus. Ninguém pode imaginar o alcance da sua grandeza. "Ó profundidade da riqueza, tanto da sabedoria como do conhecimento de Deus! Quão insondáveis são os seus juízos, e quão inescrutáveis, os seus caminhos!" (Rm 11.33; veja também Jó 26; Sl 145.3).

Em nossos momentos de frustração, orgulho e apatia, é bom lembrarmos que a Jesus foi dada toda a autoridade sobre tudo (Sl 8.6; Mt 28.18; Ef 1.22.). Tudo foi criado por meio dele e para ele (Cl 1.16). Não há nenhuma coisa, situação ou circunstância que seja mais poderosa do que ele é.

Meditar sobre o caráter de Deus dá uma grande esperança ao nosso coração, mesmo em tempos de provações terríveis. A ocasião para a lamentação do profeta Jeremias foi a impiedosa destruição de Jerusalém pela Babilônia. Em meio ao horror indescritível, Jeremias encontrou motivo de esperança por causa de quem Deus é:

> Quero trazer à memória o que me pode dar esperança. As misericórdias do SENHOR são a causa de não sermos consumidos, porque as suas misericórdias não têm fim; renovam-se cada manhã. Grande é a tua fidelidade. A minha porção é o SENHOR, diz a minha alma; portanto, esperarei nele. (Lm 3.21-24)

Você vê como o amor de Deus é inabalável e as suas misericórdias não têm fim? O Deus eterno nos dá a si mesmo como nossa porção. Nossas mentes mortais não podem compreender o significado de tal presente.

Quando nossos filhos estão lutando com a ansiedade de ficar distante dos pais, nós lhes damos razões para ter paz. Quando nós, filhos de Deus, sentimo-nos ansiosos por estarmos separados do Senhor, ele nos dá motivo indiscutível para sentirmos a sua paz.

A maior demonstração de amor que Deus nos mostrou foi enviar seu Filho Jesus para morrer em nosso lugar na cruz pelos nossos pecados *quando ainda éramos seus inimigos* (Rm 5.8). Jesus sofreu a mais profunda "ansiedade de separação" que ninguém no mundo jamais enfrentaria para que nós, que confiamos nele, pudéssemos estar sempre unidos ao Pai para sempre. Embora mortos em nossos pecados, Deus, sendo rico em misericórdia, nos amou com um amor tão grande que nos deu vida juntamente com Cristo pela graça mediante a fé (Ef 2.4-8). Nunca alcançaremos a plenitude das graciosas implicações desse brilhante evangelho. Jonathan Edwards disse: "Soberania absoluta é o que eu amo atribuir a Deus".[23] Eu não poderia concordar mais – a soberania de Deus evidencia sua liberdade gloriosa em derramar sua graça sobre os seus inimigos. Um Deus que usa a sua liberdade para salvar seus inimigos de modo a garantir que eles estejam inexplicavelmente regozijando-se nele para sempre é um Deus que é digno de toda nossa adoração.

A graça de Deus em Cristo é maior do que qualquer frustração que ameace nos fazer desmoronar. Porque Jesus está sustentando o universo com a sua palavra, podemos confiar nele em qualquer dia mau.

A graça de Deus em Cristo nos livra de idolatrar a maternidade. Porque Jesus é extremamente digno de todos os nossos afetos, não há nenhum aspecto de ser mãe que possa ofuscar a sua beleza.

A graça de Deus em Cristo supera nossas ilusões orgulhosas do "eu tenho tudo sob controle". Porque Jesus tem autoridade sobre todas as coisas, podemos alegremente nos humilhar sob seu governo misericordioso e servi-lo para sempre.

A graça de Deus em Cristo desperta nossa alma calejada e letárgica. Porque a grandeza de Jesus é insondável, ele é capaz de reavivar nossas afeições mornas por ele à medida que buscamos a sua face. Existe apenas um ótimo lugar onde uma mãe pode descobrir mais sobre a grandeza de Jesus Cristo: na Palavra de Deus. Jerry Bridges aconselhou: "Não acredite em tudo o que você pensa. Você não é confiável para dizer a verdade a si mesmo. Atenha-se à palavra".[24] A recomendação de J. I. Packer é semelhante:

> Eu, como cristão, me entendo? Eu conheço a minha própria identidade real? Meu próprio destino real? Eu sou filho de Deus, Deus é meu Pai; o céu é a minha casa; cada dia é um dia mais próximo. Meu Salvador é meu irmão; todo cristão é meu irmão também. Diga isso para si mesmo vez após vez logo de manhã, e quando for dormir, quando estiver esperando o ônibus, a qualquer momento em que sua mente estiver livre, e peça a Deus para que você possa ser capaz de viver como alguém que sabe que tudo isso é totalmente e completamente verdadeiro. Pois esse é o segredo do cristão, de uma vida cristã, de uma vida que honra a Deus.[25]

Mergulhar na Palavra de Deus para descobrir as maravilhas do amor de Deus por mim – uma pecadora – me lembra de que eu não tenho motivo para me gloriar, senão na cruz de Jesus Cristo (Gl 6.14). Essas meditações servem para alimentar a minha adoração a Jesus, e inerente a essa adoração está um proclamar, orientado pela alegria, da sua fidelidade a todas as gerações (Sl 89.1). Quero que meus filhos me acompanhem à medida que sondo as profundezas, altura e largura do amor de Cristo.

A ampla visão da maternidade vê muito além do terceiro trimestre da gravidez, do ensino para fazer xixi no vaso sanitário e, até mesmo, da graduação do Ensino Médio. A ampla visão da maternidade perscruta o horizonte da eternidade. Entendemos que nossos filhos podem, um dia, ser nossos irmãos ou irmãs em Cristo. Nós, mães, precisamos sempre ter em mente uma ampla visão da vida à medida que vivemos nossos dias. Deus faz o seu trabalho de criar pessoas, que são criadas e recriadas à imagem de seu Filho. Nós somos parte de um novo povo cujo padrão de vida está sendo transformado por Deus, para que não mais andemos em caminhos que nos escravizam com morte e futilidade. Um dia o mundo será preenchido com a glória do Senhor, assim como as águas cobrem o mar! Ao longo de toda a nossa maternidade, olhamos para esse dia.

Talvez o seu dia tenha acabado de começar, ou já tenha avançado, ou tenha chegado ao fim e você está "no fuso horário em que todos estão dormindo". Não importa que horas são, esse é um bom momento para dar graças a Deus por suas ricas misericórdias, que são sempre novas por meio de Jesus Cristo, e para compartilhar sua alegria com todos os que quiserem ouvir.

Nosso chamado como mãe é prosseguir com a força que Deus supre e nos apropriar de Jesus, porque ele nos tornou seus (Fp 3.12). Esquecemos das coisas que para trás ficam e avançamos para as que estão adiante, prosseguindo para o alvo, para o prêmio da soberana vocação de Deus em Cristo Jesus (Fp 3.13-14).

Talvez você tenha dispensado bastante tempo pensando na primeira roupa com que vestirá a sua filha quando a trouxer pela primeira vez para casa. Há alguns meses, nossos amigos nos convidaram para nos unirmos a eles no aeroporto a fim de ajudá-los a dar as boas-vindas ao filho que adotaram. Ainda mais intencionais e planejadas do que essas coisas, as boas-vindas que o nosso Pai celestial planejou nos deixarão maravilhadas. Valorizar Cristo em nossa maternidade faz com que tenhamos mentes celestiais, pensando frequentemente no Senhor que nos trouxe para a sua família eterna, e capacita-nos a viver para o seu reino à medida que servimos a nossa família.

Notas

1. Herman Bavinck, *Reformed Dogmatics* (Grand Rapids, MI: Baker Academic, 2008), 3:455.
2. Martyn Lloyd-Jones, *Pregação e Pregadores* (São José dos Campos: Editora Fiel, 2 ed, 2008), 160.
3. "Nunca se corrompa em dar conselhos sem relação com as boas-novas de Jesus crucificado, vivo, presente, em ação e voltando." David Powlison, "Who Is God?" *Journal of Biblical Counseling*, 17 (Inverno 1999): 16.
4. Jeremiah Burroughs, *The Rare Jewel of Christian Contentment*, http://www.monergism.com/contentment.html.
5. Devo muito a Milton Vincent por apontar isso em seu excelente livro sobre valorizar o evangelho, *A Gospel Primer for Christians: Learning to See the Glories of God's Love* (Bemidji, MN: Focus, 2008).
6. John Owen, *The Works of John Owen*, vol. 3, *The Holy Spirit* (Carlisle, PA: Banner of Truth, 1966), 100.

7. Richard Baxter, *The Practical Works of the Rev. Richard Baxter*, vol. 4 (Londres: Paternoster, 1830), 18.
8. Paul Tripp, *Forever: Why You Can't Live without It* (Grand Rapids, MI: Zondervan, 2011), 141.
9. Joseph Hart, "Come, Ye Sinners, Poor and Needy", 1759.
10. Essa amada tradição foi inspirada pelo livro de Noël Piper *Most of All, Jesus Loves You!* (Wheaton, IL: Crossway, 2004).
11. John Piper, *Desiring God: Meditations of a Christian Hedonist* (Colorado Springs, CO: Multnomah, 2003), 12.
12. Thomas Chalmers, "The Expulsive Power of a New Affection" Sermon, http://www.newble.co.uk/chalmers/comm9.html.
13. Edward Welch, *Running Scared: Fear, Worry, and the God of Rest* (Greensboro, NC: New Growth Press, 2007), 140.
14. Jerry Bridges, *The Discipline of Grace: God's Role and Our Role in the Pursuit of Holiness* (Colorado Springs, CO: Navpress, 2006), 19.
15. Vincent, *Gospel Primer for Christians*.
16. John Bunyan, *Justification by an Imputed Righteousness*, http://acacia.pair.com/Acacia.John.Bunyan/Sermons.Allegories/Justification.Imputed.Right.
17. Horatious Bonar, "God's Purpose of Grace" Sermon, http://www.reformedliterature.com/bonar-gods-purpose-of-grace.php.
18. Sinclair Ferguson, *In Christ Alone: Living the Gospel-Centered Life* (Sanford, FL: Reformation Trust, 2007), 151.
19. Richard Sibbes, *Glorious Freedom* (Carlisle, PA: Banner of Truth, 2000), 81.
20. Ibid., 83.
21. Ibid., 91–92.
22. Owen, *Works of John Owen*, 108–9.

23. Jonathan Edwards, *Selections* (Nova York: Hill and Wang, 1962), p. 58-59.
24. Jerry Bridges, *The Great Exchange: My Sin for His Righteousness* (Wheaton, IL: Crossway, 2007).
25. J. I. Packer, *Knowing God* (Downers Grove, IL: InterVarsity Press, 2011).

FIEL
MINISTÉRIO

O Ministério Fiel visa apoiar a igreja de Deus de fala portuguesa, fornecendo conteúdo bíblico, como literatura, conferências, cursos teológicos e recursos digitais.

Por meio do ministério Apoie um Pastor (MAP), a Fiel auxilia na capacitação de pastores e líderes com recursos, treinamento e acompanhamento que possibilitam o aprofundamento teológico e o desenvolvimento ministerial prático.

Acesse e encontre em nosso site nossas ações ministeriais, centenas de recursos gratuitos como vídeos de pregações e conferências, e-books, audiolivros e artigos.

Visite nosso website

www.ministeriofiel.com.br

e faça parte da comunidade Fiel

Leia Também:

Ginger Plowman

Não me Faça Contar até Três!

O olhar de uma mãe sobre a disciplina orientada para o coração

Leia Também:

VISLUMBRES da Graça

VALORIZANDO O EVANGELHO NA ROTINA DO LAR

Gloria FURMAN

Esta obra foi composta em Chaparral Pro Regular 11,34, e impressa
na Promove Artes Gráficas sobre o papel Pólen Natural 70g/m²,
para Editora Fiel, em Abril de 2024.